ARBEITSBUCH

GESAMTBAND

A2

Pluspunkt Deutsch

von Friederike Jin, Jutta Neumann und Joachim Schote

Inhalt

1 Ergänzen Sie die Fragewörter und beantworten Sie die Fragen.

> Wo – Wohin – Wie lange – Woher – Welche – Wie

1. _____ kommen Sie? _____

2. _____ wohnt Ihre Familie? _____

3. _____ sind Sie schon in Deutschland? _____

4. _____ Städte kennen Sie in Deutschland? _____

5. _____ finden Sie die Städte? _____

6. _____ möchten Sie gern fahren? _____

2 Herkunft und Staatsbürgerschaft. Lesen Sie den Text. Ergänzen Sie dann für sich selbst.

Ich komme aus Deutschland. Deutschland liegt in Europa. Meine Muttersprache ist Deutsch. Ich habe die deutsche Staatsbürgerschaft. Ich bin Deutscher und meine Frau ist Deutsche.

Ich komme aus

_____ .

_____ liegt

in _____ .

Meine Muttersprache ist _____ .

Ich habe die _____ Staatsbürger-

schaft. Ich bin _____ .

3 Bei der Anmeldung. Füllen Sie das Formular für sich selbst aus.

ANMELDEBOGEN	
Frau/Herr	
Name	Vorname(n)
bei Frauen Geburtsname	
Geburtsort	Herkunftsland
Geburtsdatum (Tag/Monat/Jahr)	
Staatsangehörigkeit	
Wohnort	Postleitzahl
Straße und Hausnummer	
Muttersprache	Weitere Sprachen

4 *Seit* + Dativ. Ergänzen Sie die Artikel im Dativ.

◖ Hallo, sind Sie auch neu hier?

◖ Nein, ich wohne schon seit ein___ Jahr hier. Und Sie?

◖ Wir sind seit ein___ Monat hier, wir haben erst bei Verwandten gewohnt. Aber wir hatten Glück,

seit ein___ Woche haben wir eine Wohnung.

5 Wiederholung – Possessivartikel. Ergänzen Sie.

> sein – ihr – sein – ihre – sein – ihr – seine – ihr – seine

1. Das ist Tarek al Wazir. _____ Vater
   kommt aus dem Jemen. _____ Mutter
   ist Deutsche. _____ Geburtsland ist
   Deutschland und _____ Muttersprache ist Deutsch. _____ Beruf: Politiker.

2. Das ist Frau Godana. _____ Geburtsland ist Äthiopien. _____ Wohnort
   ist Bremen. Sie ist Lehrerin, _____
   Beruf macht ihr Spaß. _____ Schüler
   mögen sie sehr.

A   Die eigene Geschichte erzählen

6 Schreiben Sie die Sätze.

ⵙ

1. zur Schule – gegangen – Er – in Ghana und in Deutschland – ist.
2. Fußball – gespielt – hat – gern – Er.
3. festgestellt – eine Herzkrankheit – Die Ärzte – haben.
4. gespielt – Er – hat – in der Nationalmannschaft.
5. gewonnen – mit seiner Mannschaft – Er – hat – den Pokal.

1.	Er	ist	in	
2.				
3.				
4.				
5.				

7 Das Leben von Herrn Asamoah. *Sein* oder *haben*? Ergänzen Sie.

Die Eltern von Herrn Asamoah _____ aus politischen Gründen nach Deutschland gekommen. Er _____ erst in Ghana geblieben und _____ bei seinen Verwandten gewohnt. 1990 _____ er zu seinen Eltern nach Hannover gekommen. Er _____ immer viel Fußball gespielt. 1999 _____ er nach Gelsenkirchen umgezogen. Dort wohnt er jetzt mit seiner Familie.

8a Partizip – regelmäßige Verben. Wie heißt das Partizip? Schreiben Sie.

wohnen _____	spielen _____	lernen _____
machen _____	besuchen _____	arbeiten _____
abholen _____	verdienen _____	beantragen _____

8b Partizip – unregelmäßige Verben. Wie heißt das Partizip? Schreiben Sie.

kommen _____	fahren _____	umziehen _____
gehen _____	bleiben _____	mitkommen _____

9 Wie heißen die Infinitive? Schreiben Sie.

⊙

1. ◖ Warum <u>hast</u> du eine andere Arbeit <u>gesucht</u>? _____

   ◖ Ich <u>habe</u> früher leider nicht so viel Geld <u>verdient</u>. _____

2. ◖ Ein schönes Kleid!

   ◖ Ja, ich <u>habe</u> es gerade neu <u>gekauft</u>. _____

   ◖ Und wie viel <u>hast</u> du für das Kleid <u>bezahlt</u>? _____

   ◖ Nicht so viel, es war sehr günstig.

3. ◖ <u>Ist</u> der Zug nach Hamburg schon <u>abgefahren</u>? _____

   ◖ Nein, nein. Das hier ist der Zug nach Duisburg.

   Der ICE nach Hamburg <u>ist</u> noch nicht <u>angekommen</u>. _____

10 Ergänzen Sie die Präpositionen.

> in – in – von ... nach – bei – nach

2007 bin ich _____ Deutschland gekommen. Ich habe zuerst _____ Köln _____ meinen Verwandten gewohnt. Dann bin ich _____ Köln _____ Hamburg umgezogen.

_____ Hamburg habe ich eine Arbeit als Techniker gefunden.

11 Frau Tokaryk erzählt. Schreiben Sie einen Text in Ihr Heft.

nach Deutschland
gekommen,
in Dortmund
bei Verwandten
gewohnt

Deutschkurs
gemacht

eine Wohnung
gefunden, ihr
Mann auch nach
Deutschland
gekommen

in Dortmund
Arbeit gesucht

in Bochum
Arbeit gefunden,
nach Bochum
umgezogen

2001   2002   2003   2004   2005

B   Wie haben Sie das geschafft?

12a Hören Sie das Interview mit Herrn Sorokin und ordnen Sie die Fotos. ◀))) 1.2

12b Hören Sie noch einmal und ordnen Sie die Satzteile. ◀))) 1.2

◯ als Ingenieur arbeiten

◯ einen Sprachkurs gemacht

◯ in der Nähe von Kassel gewohnt

◯ keine Arbeit gefunden

◯ 2007 nach Deutschland gekommen

◯ die Prüfung beim zweiten Mal geschafft

◯ zu seinem Onkel nach Frankfurt
umgezogen

◯ viele nette Leute kennengelernt

◯ eine Arbeit gefunden

12c Schreiben Sie die Geschichte von Herrn Sorokin in Ihr Heft.

◉

13 Possessivartikel – Teil 1. Ergänzen Sie.

◀ Guten Tag, _____ Name ist Tranh. Das ist _____ Frau.

◀ Guten Tag, Frau Tranh, guten Tag, Herr Tranh. Was kann ich für Sie tun?

◀ Das ist _____ Tochter. Sie soll in den Kindergarten gehen.

◀ Wie alt ist _____ Tochter?

◀ Drei Jahre.

mein –
Ihre –
unsere –
meine

14 Possessivartikel – Teil 2. Ergänzen Sie.

> eure – eure – ihre – unsere – unsere – unsere

◖ Hallo, ich habe euch lange nicht gesehen! Sind das _____ Kinder?

◖ Ja, das ist _____ Tochter Galina und das sind _____ Söhne Michail und Alexander.

◖ Seid ihr zu Fuß gekommen?

◖ Ja, nur Michail und Galina sind mit dem Fahrrad gefahren, _____ Fahrräder stehen vor der Tür.

◖ Kommt rein, _____ Kinder sind leider nicht da. Möchtet ihr etwas trinken? Und Michail und Galina, bringt _____ Fahrräder lieber in den Hof. Das ist besser.

15 Ergänzen Sie die Tabelle.

⊙

	der Stift	das Heft	die Tasche	die Bücher
ich:	_mein_ Stift	_____ Heft	_____ Tasche	_____ Bücher
du:	_____ Stift	_____ Heft	_____ Tasche	_____ Bücher
er/es:	_____ Stift	_____ Heft	_____ Tasche	_____ Bücher
sie:	_____ Stift	_____ Heft	_____ Tasche	_____ Bücher
wir:	_____ Stift	_____ Heft	_____ Tasche	_____ Bücher
ihr:	_____ Stift	_____ Heft	_____ Tasche	_____ Bücher
sie:	_____ Stift	_____ Heft	_____ Tasche	_____ Bücher
Sie:	_____ Stift	_____ Heft	_____ Tasche	_____ Bücher

16 Die Possessivartikel *Ihr, dein* und *euer*. Ergänzen Sie.

> dein – eure – euer – Ihre – Ihre – Ihre

1. ◖ Guten Tag, Frau Dhal. Ist das _____ Tochter? ◖ Nein, das ist meine Nichte.

2. ◖ Anna, Entschuldigung. Ist das _____ Stift? ◖ Ja, du kannst ihn gern nehmen.

3. ◖ Sergej und Nina, sind das _____ Bücher? ◖ Nein, das sind nicht unsere Bücher.

4. ◖ Herr Wang, ich brauche noch _____ Telefonnummer. ◖ Ah ja, 089/24 25 29.

5. ◖ Frau und Herr Cakarcan, wie heißen _____ Kinder? ◖ Mitri und Alissa.

6. ◖ Markus, Lena, wo ist _____ Vater? ◖ Er ist noch im Büro.

17 Auf dem Amt. Nominativ, Akkusativ oder Dativ? Ergänzen Sie die Possessivartikel.

◉ Guten Tag, Frau Petöfi. Haben Sie _____ Pass?

◀ Ja, hier bitte.

◀ Danke. Und _____ Unterlagen?

◀ Entschuldigung, ich habe _____ Frage nicht verstanden. Was bedeutet Unterlagen?

◀ Unterlagen sind die Papiere. Haben Sie _____ Antragsformular, _____ Mietvertrag

und _____ Gehaltsabrechnung?

◀ Ja, natürlich. Hier sind _____ Dokumente.

◀ Und die Pässe von _____ Eltern?

◀ Hier sind Kopien von _____ Pässen.

◀ Danke.

18 Ergänzen Sie die Verben im Perfekt.

Ich _____ in der Ukraine Radiotechnik _____ (studieren).

Dort _____ ich meine Frau _____ (kennenlernen). Wir _____

1998 _____ (heiraten). Ich _____ eine gute Arbeit in Kabul

_____ (bekommen), deshalb _____ wir nach Afghanistan

_____ (gehen). Aber die Situation war schwierig. Deshalb _____ wir

nach Deutschland _____ (kommen). Unsere Verwandten _____ uns

_____ (helfen). Wir _____ erst im Wohnheim _____

(wohnen) und dann _____ ich eine Arbeit _____ (finden). Meine

Frau _____ bei den Kindern _____ (bleiben), sie waren ja noch klein.

C   Sprachen lernen

19 Schreiben Sie die Fragen und beantworten Sie sie.

1. Sie – wie lange – lernen – schon Deutsch? _____

_____

2. Sie – sprechen – viel mit Deutschen? _____

_____

3. auch deutsche Filme – Sie – sehen – im Fernsehen? _____

_____

_____

20 Adjektive. Ordnen Sie zu.

> ~~leise~~ – schwierig – langsam – lustig – wichtig – einfach – laut – schnell – unwichtig

1. Eine Übung ist _____

2. Ich finde es _____

3. Die Frau spricht *leise,* _____

21 Wiederholung – das Verb *sprechen*. Ergänzen Sie.
◉

1. ◀ Welche Sprachen _____ du?

   ◀ Ich _____ Spanisch und ein bisschen Deutsch.

2. Meine Freunde _____ leider kein Deutsch.

3. Herr Li _____ Englisch, Deutsch und natürlich Chinesisch.

4. ◀ Welche Sprachen _____ Sie?

   ◀ Ich _____ leider nur Deutsch.

22a Tipps zum Sprachenlernen. Was passt zusammen? Ordnen Sie zu.

Ich verstehe die Deutschen oft nicht. **1** ○ — ○ **A** Dann schreib sie doch auf Wortkarten.

Ich spreche so wenig Deutsch. **2** ○ — ○ **B** Dann sag doch: Ich habe Sie nicht verstanden. Bitte wiederholen Sie noch einmal.

Ich kann die Wörter nicht behalten. **3** ○

Ich spreche nicht viel. Ich möchte **4** ○   ○ **C** Man darf keine Angst haben. Fehler sind
keine Fehler machen.   doch nicht so schlimm.

○ **D** Rede doch mal mit deinen Nachbarn.

22b Tipps geben. Textkaraoke. Hören Sie und sprechen Sie die 🙂-Rolle im Dialog. 🔊 ⟩⟩ 1.3

🔉 …

😊 Du kannst auch mit anderen Ausländern auf Deutsch sprechen.

🔉 …

😊 Schreib doch die Wörter auf Wortkarten.

🔉 …

😊 Dann sag doch: Bitte sprechen Sie langsam.

🔉 …

😊 Hab doch keine Angst. Fehler sind doch nicht schlimm.

23 Flüssig sprechen. Hören Sie zu und sprechen Sie nach. 🔊 ⟩⟩ 1.4

1. verlassen. – vor acht Jahren verlassen. – Er hat seine Heimat vor acht Jahren verlassen.
2. viel geholfen. – ihm am Anfang viel geholfen. – Seine Verwandten haben ihm am Anfang viel geholfen.
3. eine Arbeit gefunden. – hat er eine Arbeit gefunden. – Nach dem Deutschkurs hat er eine Arbeit gefunden.
4. beantragt. – die deutsche Staatsbürgerschaft beantragt. – Er hat die deutsche Staatsbürgerschaft beantragt.

24a Kursangebot an der VHS Brackwede. Welcher Kurs passt? Lesen Sie die Situationen 1 bis 4 und ordnen Sie zu.

1. ◯ Frau Kebaili hat zwei Kinder. Sie will nicht viel Geld für Kleidung ausgeben.

2. ◯ Herr Lehmann ist neu in Brackwede. Er möchte Leute kennenlernen. Er mag Musik.

3. ◯ Herr Semprun ist 65 Jahre alt. Er ist gesund und möchte weiter gesund bleiben. Deshalb möchte er Sport machen.

4. ◯ Herr und Frau Herrmann sind Rentner und reisen gern. Sie waren noch nicht in China. Sie möchten das Land und die Kultur kennenlernen.

A   Walken für Anfänger

Walking, eine Aktivität zwischen spazieren gehen, wandern und joggen, ist für jedes Alter geeignet. Bringen Sie Laufschuhe und passende Kleidung mit.

> Dienstag 10.00–11.30 Uhr, Beginn: 2.9.
> Treffpunkt: Westpark, Eingang Hansaallee

B   Kochen für Anfänger/innen

Sie können nicht kochen? Kein Problem. Ob frisch von Zuhause ausgezogen oder schon über Jahre der beste Kunde beim Pizzadienst. In diesem Kochkurs lernen Sie, wie man Pasta, Salate, Bratkartoffeln, Asia-Pfannen – und was Ihnen sonst noch schmeckt – selber kocht.

> VHS, Bielefelder Straße 3, EG, Küche
> Mittwoch 18.00–20.00 Uhr

C   Chor – Lieder aus aller Welt

Für alle, die Freude am Singen haben. Wir singen Lieder aus vielen verschiedenen Ländern. Notenkenntnisse sind nicht erforderlich. Weitere Informationen erhalten Sie telefonisch bei Monika Zelter (0171) 70 81 77.

> Donnerstag 19.00–20.30 Uhr
> VHS, Bielefelder Straße 3, 2. OG, Raum 211

D   Aktuelle Mode – selbst genäht

In angenehmer Atmosphäre werden wir modische Kleidung selbst machen. Sie lernen zuschneiden, nähen, abstecken und anprobieren – kurzum alle wichtigen Schritte bis zum fertigen Kleidungsstück. Der Kurs ist für Anfänger/innen und Fortgeschrittene geeignet. Voraussetzung: Spaß am Nähen!

> VHS, Bielefelder Straße 3, 1. OG, Raum 110
> Fr–So, 09.–11.10., Fr 19.00–21.15 Uhr,
> Sa 13.00–18.15 Uhr, So 10.00–15.15 Uhr

E   Studienreise nach Hongkong, Shanghai, Xian und Peking

Drei Wochen China intensiv. Wir fahren mit einer deutschsprachigen Reiseführerin, sie erklärt uns die wichtigsten Sehenswürdigkeiten und hilft uns Land und Leute zu verstehen.

> Vorbereitungstreffen:
> Donnerstag 25.07. um 15.00 Uhr in der VHS,
> Bielefelder Straße 3, 1. OG, Raum 108

F   Orientalischer Tanz

Ein Kurs für Frauen in jedem Alter. Wir wollen orientalische Musik hören und tanzen. Orientalischer Tanz macht Spaß und hält uns fit.

> Dienstag 18.30–20.00 Uhr
> VHS, Bielefelder Straße 3, 2. OG, Raum 211

24b Welcher Kurs ist für Sie interessant?

Wichtige Wörter

Geschichte, die _____

hektisch _____

A eigen- _____

erzählen _____

1a Grund, der, "-e _____

verlassen, er verlässt, _____
er hat verlassen

erst _____

deshalb _____

ich bin ... geworden _____

Krankheit, die, -en _____

fest|stellen _____

Angst, die _____

Angst haben _____

weiter _____

Staatsbürgerschaft, _____
die, -en

gewinnen, er hat _____
gewonnen

Stiftung, die, -en _____

gründen _____

Zwilling, der, -e _____

1c positiv _____

negativ _____

B schaffen _____

Wie haben Sie es _____
geschafft?

1a Universität, die, -en _____

Spaß machen _____

Das macht mir Spaß. _____

1d Anfang, der, "-e _____

am Anfang _____

Sprachkurs, der, -e _____

einen Sprachkurs _____
machen

aktiv _____

Verein, der, -e _____

2a natürlich _____

3 schwierig _____

C
2a Wort, das, "-er _____

Wortkarte, die, -n _____

Fehler, der, - _____

Regel, die, -n _____

Übung, die, -en _____

zu|hören _____

lustig _____

behalten, er behält, _____
er hat behalten

neue Wörter _____
behalten

aus|probieren _____

Satz, der, "-e _____

auswendig _____

etwas auswendig _____
lernen

am besten _____

schriftlich _____

5 unbedingt _____

Computerkurs, _____
der, -e

_____

_____

Wörter lernen

25a Gegenteile. Ordnen Sie zu.

> ~~groß~~ – modern – langweilig – laut – schmutzig – gemütlich

1. klein   *groß* _____
2. hektisch _____
3. interessant _____

4. ruhig _____
5. sauber _____
6. alt _____

25b Welche Wörter aus 25a passen zu den Fotos? Ordnen Sie zu.

_____

_____

26 Kreuzworträtsel. Ergänzen Sie die Verben.

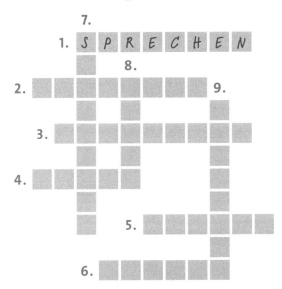

> ~~sprechen~~ – schreiben – besuchen –
> machen – verstehen – behalten –
> haben – lesen – lernen

1. mit Deutschen ...
2. neue Wörter leicht ...
3. die Deutschen gut ...
4. keine Angst ...
5. einen Fehler ...
6. Sätze auswendig ...
7. Wörter auf Wortkarten ...
8. ein Buch ...
9. einen Kurs ...

27 Wörter hören und nachsprechen. Hören Sie zu und sprechen Sie nach. 🔊 1.5

1. aktiv – negativ – positiv – schwierig – lustig
2. die Staatsbürgerschaft – die Universität – der Verein
3. auswendig lernen – Wörter behalten – Angst haben – Fehler machen

1a   Georg und die Medien. Was fehlt hier? Schreiben Sie die Wörter mit Artikel.

1. _das Radio_   3. _____   5. _____

2. _____   4. _____   6. _____

1b   Was macht Georg? Ergänzen Sie.

Morgens _____ Georg gern Radio. Er fährt mit der S-Bahn zur Arbeit. Dann _____

er ein Buch oder eine Zeitung. Gestern hat er einen MP3-Player gekauft. Jetzt kann er auf dem Weg

zur Arbeit auch Musik _____. Im Büro _____ Georg oft am Computer. Abends sitzt

er gern vor dem Fernseher oder er _____ mit dem Handy seine Freundin _____.

2a   Tageszeiten. Schreiben Sie die Tageszeiten in der richtigen Reihenfolge.

abends – nachmittags – morgens – vormittags – mittags

1. _____   4. _____

2. _____   5. _____

3. _____

2b   So mache ich es immer. Schreiben Sie Sätze mit den Wörtern aus 2a.

1. Ich stehe um sechs Uhr auf.   _Morgens stehe ich um sechs Uhr auf._ _____

2. Ich arbeite in einem Geschäft. _____

3. Ich esse in der Kantine. _____

4. Ich mache Sport. _____

5. Ich sehe fern. _____

2c Was passt zusammen? Verbinden Sie.

morgens **1** o ———— o **A** am Mittag
mittags **2** o o **B** am Nachmittag
nachmittags **3** o o **C** am Morgen
abends **4** o o **D** am Vormittag
vormittags **5** o o **E** am Abend

3 Welche Medien benutzen Sie täglich oder oft? Schreiben Sie.

_____

_____

_____

A Rund ums Internet

4 Warum benutzen die Menschen das Internet? Hören Sie und ordnen Sie zu. 🔊 1.6

> chattet mit Freunden – sieht Filme – vergleicht Preise

1. Yana Daneva _____ im Internet.

2. Ariane Sand _____ .

3. Simon Maier _____ und kauft im Internet ein.

5 Warum spricht niemand mit mir? Schreiben Sie Sätze mit *weil*.

> Sie telefoniert mit dem Handy. – ~~Er liest Zeitung.~~ –
> Sie surft im Internet. – Sie sieht fern. – Er hört Musik.

1. Mein Mann spricht nicht mit mir,

   weil er Zeitung liest.

2. Unsere Tochter spricht nicht mit mir,

   _____

3. Unser Sohn spricht nicht mit mir,

   _____

4. Meine Mutter spricht nicht mit mir,

   _____

5. Unsere Katze spielt nicht mit mir,

   _____

6a Urlaub. Was passt? Verbinden Sie.

Sie will Urlaub machen.   **1** ○────────────┐   ○ **A** Sie fliegt morgen nach Griechenland.

Sie surft im Internet.   **2** ○   │   ○ **B** Sie will im Flugzeug Musik hören.

Sie packt den Koffer.   **3** ○   │   ○ **C** Sie will abends ausgehen.

Sie nimmt ein Abendkleid mit.   **4** ○   └───○ **D** Sie hat viel gearbeitet.

Sie kauft ein Buch.   **5** ○   ○ **E** Sie möchte im Urlaub lesen.

Sie nimmt ihren MP3-Player mit.   **6** ○   ○ **F** Sie sucht Urlaubsangebote.

6b Schreiben Sie Fragen und Antworten.

1. *Warum will sie Urlaub machen? – Weil sie viel gearbeitet hat.* _____

2. _____

3. _____

4. _____

5. _____

6. _____

7a Warum lernen die Personen Sprachen? Ergänzen Sie.

1. Vecih lernt Deutsch,   *weil er Arbeit* _____ | *sucht.*
    (Er sucht Arbeit.)

2. Maja lernt Französisch,   *weil sie in Paris studieren* _____
    (Sie will in Paris studieren.)

3. Paulina lernt Englisch,   *weil* _____
    (Ihr Freund kommt aus den USA.)

4. Olaf lernt Norwegisch,   *weil* _____
    (Er geht nach Norwegen.)

7b Schreiben Sie die Sätze aus 7a mit *denn*.

1. Vecih lernt Deutsch,   denn   *er* _____ | *sucht* | *Arbeit.*

2. Maja lernt Französisch,   denn   _____

3. Paulina lernt Englisch,   denn   _____

4. Olaf lernt Norwegisch,   denn   _____

8a Wiederholung – trennbare Verben. Schreiben Sie Sätze.

1. vorlesen – er – den Kindern _____

2. abholen – er – die Kinder – von der Schule _____

3. zurückkommen – er – spät _____

8b Schreiben Sie Sätze mit *weil*.

1. *Er kann nicht fernsehen, weil er den Kindern* _____

2. *Er fährt nicht nach Hause,* _____

3. *Er ruft seine Frau an,* _____

9 Warum? Schreiben Sie Sätze mit *weil*.

1. Warum spielen die Kinder nicht im Garten? 3. Warum trinkt Herr Worsch heute kein Bier?

_____

_____

2. Warum fährt Herr Scholz zum Flughafen? 4. Warum geht Frau Peters früh ins Bett?

_____

_____

B Fernsehen und Radio

10a Was ist das? Ergänzen Sie die Wörter.

1. ⚪ das Q___z

2. ⚪ die N__chr__cht__n

3. ⚪ der Kr__m__

4. ⚪ der F__rns__hf__lm

5. ⚪ der Sp__rt

6. ⚪ das K__nd__rpr__gr__mm

7. ⚪ der T___rf__lm

8. ⚪ die M__s__ks__nd__ng

10b Das Radioprogramm. Hören Sie. Welche Sendungen gibt es heute?
Kreuzen Sie in 10a an. 🔊 1.7

11 Was sehen Sie gern im Fernsehen? Schreiben Sie.

_____

_____

_____

12 Textkaraoke. Hören Sie und sprechen Sie die ☻-Rolle im Dialog. 🕪 1.8

☻ ...

☻ Was kommt denn?

☻ ...

☻ Ein Tierfilm? Das finde ich langweilig.

☻ ...

☻ Ja, Krimis sehe ich gern. Wann fängt er an?

☻ ...

☻ Gut, dann sehen wir den Krimi.

PRO7	3SAT
20:15 **CSI: NY „Taxi in den Tod"** USA 2008. Krimiserie. Seit langer Zeit macht ein Taximörder der Polizei und den Menschen in New York Angst.	20:15 **Inselträume** (6/20) F 2009. Tierfilm über den Kodiakbären

13 Ein Fernsehabend. Ergänzen Sie den Dialog.

> Was kommt heute Abend im Fernsehen? – Na gut. – Um zehn. – Aber es gibt auch einen Film mit Julia Roberts.

◀ _____

◀ Heute ist das Fernsehprogramm langweilig. Es kommt nur ein Fußballspiel und ein Tierfilm.

◀ _____

◀ Wann fängt er an?

◀ _____

◀ Gut. Dann können wir zuerst das Fußballspiel sehen und dann den Film.

◀ _____

14 Schreiben Sie einen Dialog.

heute Abend fernsehen?

☻ was?

Tierfilm/Quiz/Krimi

Tierfilm

☹ nicht so gern / lieber Krimi

eine Idee: lieber ausgehen

☻ viel besser

◀ _____

◀ _____

◀ _____

◀ _____

◀ _____

◀ _____

15 Wiederholung – W-Fragen. Ergänzen Sie die Fragewörter und ordnen Sie die Antworten zu.

Welche – Wann – ~~Wie lange~~ – Warum

_____ Medien benutzen Sie täglich? **1** ○   ○ **A** Weil man dort viele Informationen bekommt.

_____ finden Sie das Internet wichtig? **2** ○   ○ **B** Das Handy und das Internet.

Wie lange sehen Sie täglich fern? **3** ○   ○ **C** Immer morgens, beim Frühstück.

_____ hören Sie Radio? **4** ○   ○ **D** Ein bis zwei Stunden.

16a Eine Meinung zu Medien. Lesen Sie den Text. Über welche Medien spricht Herr Aigner? Unterstreichen Sie im Text.

Beim Frühstück und auf dem Weg zur Arbeit höre ich gern Radio, vor allem die Nachrichten und die Verkehrsmeldungen. Fernsehen mag ich nicht. Viele Filme sind langweilig, die Informationen sind oft unwichtig. Ich bin auch dagegen, dass Kinder zu viel fernsehen. Ich finde, dass sie aus Büchern mehr lernen können. Ich lese auch gern Bücher. Und dann haben heute alle ein Handy. Warum? Die Handys sind doch sehr teuer und man muss doch nicht überall telefonieren.

16b Welche Medien findet Herr Aigner gut, welche nicht so gut? Ergänzen Sie die Medien und kreuzen Sie an.

	🙂	🙁
1. _____	○	○
2. _____	○	○
3. _____	○	○
4. _____	○	○

17a Das Leben in Deutschland – die Meinung von Ella Kaschenz. Schreiben Sie Sätze.

Zugfahrkarten sind in Deutschland sehr teuer. – Man findet nur schwer eine Wohnung. – Der Winter ist sehr kalt. – Man kann am Wochenende viel machen. – Alle Menschen in Deutschland haben ein Auto.

Ich finde, dass

Ich finde es schlecht, dass

Ich denke, dass

Es ist nicht gut, dass

Ich finde es gut, dass

17b Das Leben in Deutschland – die Meinung von Ole Utter. Schreiben Sie Sätze.

1. Ich finde, dass (ist – der Winter in Norwegen – noch kälter).

   Ich finde, dass _____ | _ist._ |

2. Ich bin dagegen, dass (alle – haben – ein Auto).

   _____

3. Ich bin dafür, dass (die Menschen – fahren – mehr Fahrrad).

   _____

18 Meinung sagen. Ordnen Sie die Redemittel zu.

Es ist gut, dass … – Ich finde es schlecht, dass … – Ich bin dafür, dass … – Ich finde es gut, dass … – Es ist schlecht, dass … – Ich bin dagegen, dass …

☺   ☹

_____   _____

_____   _____

_____   _____

19 Was meinen Sie? Ergänzen Sie die Sätze.

1. Ich finde es gut, dass _____

2. Ich denke, dass _____

3. Ich meine, dass _____

C E-Mail und Co

20 Einen Brief am Computer schreiben. Wie macht man das? Ordnen Sie und schreiben Sie.

den Text schreiben – die Datei schließen – die Datei speichern – den Computer einschalten – den Brief ausdrucken – den Computer ausschalten – ein neues Word-Dokument öffnen

Zuerst schaltet man

21 Flüssig sprechen. Hören Sie zu und sprechen Sie nach. 🔊⎅ 1.9

1. ungesund sind. – dass Handys ungesund sind. – Ich denke, dass Handys ungesund sind.
2. im Internet surfen können. – dass Kinder im Internet surfen können. – Ich finde es gut, dass Kinder im Internet surfen können.
3. zu viel Werbung gibt. – dass es zu viel Werbung gibt. – Ich finde, dass es zu viel Werbung gibt.

22a Was steht in der Zeitung? Lesen Sie die Überschriften. Wo finden Sie die Nachrichten in der Zeitung? Ordnen Sie zu.

Märkische Oderzeitung

Süddeutsche Zeitung
NEUESTE NACHRICHTEN AUS POLITIK, KULTUR, WIRTSCHAFT UND SPORT

DER TAGESSPIEGEL
RERUM · CAUSAS

DÜSSELDORFER STADTPOST
DÜSSELDORFS GRÖSSTE ZEITUNG

1. ◯ Bundesliga: Werder Bremen gewinnt 1:0

2. ◯ **Schneechaos in München**

3. ◯ **FIRMEN IN DER KRISE**

4. ◯ *Integrationskurse haben Erfolg*

5. ◯ *Präsident Obama besucht Kanada*

A Politik
B Wirtschaft
C Kultur und Bildung
D Sport
E Aus Land und Region

22b Lesen Sie die Artikel. Welche Überschrift aus 22a passt? Ergänzen Sie.

1. _____

Die Integrationskurse für Zuwanderinnen und Zuwanderer sind erfolgreich. Seit dem Start im Jahr 2005 haben 500.000 Migranten die Sprach- und Orientierungskurse besucht. Weitere 155.000 Menschen haben sich 2008 für einen Sprachkurs angemeldet. Auch Natalija Herrmann (28) hat den Sprachkurs besucht und im Dezember 2008 das Zertifikat Deutsch gemacht. Sie sagt: „Ich verstehe und spreche jetzt viel besser Deutsch, aber ich will weiter lernen. Im Januar habe ich einen B2-Kurs angefangen."

2. _____

Schnee und Glatteis haben am Montagmorgen den Verkehr in und um München behindert. Auf dem Flughafen München sind 60 Flüge ausgefallen, Busse und Straßenbahnen hatten große Verspätungen. Für die nächsten Tage sagt der Deutsche Wetterdienst weitere Schneefälle voraus.

22c Lesen Sie die Texte noch einmal und beantworten Sie die Fragen.

1. Wie viele Menschen haben schon die Integrationskurse gemacht? _____

2. Warum waren am Montag in München die Busse und Straßenbahnen nicht pünktlich? _____

Wichtige Wörter

Medien, die, Pl. _____

Mitte, die _____

warum _____

täglich _____

unwichtig _____

spannend _____

entspannend _____

A

1 vergleichen _____

chatten _____

2a Schüler/in, der/die, _____
-/-nen

Rentner/in, der/die, _____
-/-nen

denken, er hat _____
gedacht

2c weil _____

Online-Spiel, das, -e _____

3 nützlich _____

B

Fernsehen, das _____

1a Fernsehprogramm, _____
das, -e

Fernsehfilm, der, -e _____

Kindersendung, die, _____
-en

Quiz, das _____

Tierfilm, der, -e _____

Sportsendung, die, _____
-en

1b Sendung, die, -en _____

Wann kommt die _____
Sendung?

3a Zeitschrift, die, -en _____

Tageszeitung, die, _____
-en

3b alle _____

Gesprächsthema, _____
das, -themen

nach _____

Das Radio ist nach _____
dem Fernsehen
Nummer 2.

pro Tag _____

im Durchschnitt _____

ein|schalten _____

Autoradio, das, -s _____

Verkehrsmeldung, _____
die, -en

bei der Arbeit _____

laufen, er läuft, er ist _____
gelaufen

das Radio läuft _____

bieten, er hat _____
geboten

Information, die, -en _____

Welt, die, -en _____

aus der ganzen Welt _____

Wetterbericht, der, -e _____

Platz, der, "-e _____

auf Platz eins _____

4a Radiowerbung, die _____

Werbung, die _____

8 informieren _____

dafür sein _____

dagegen sein _____

c

E-Mail, die, -s	_____	speichern _____
1a Text, der, -e	_____	weitere _____
E-Mail-Adresse, die, -n	_____	löschen _____
		1b aus|wählen _____
ab|schicken	_____	_____
Datei, die, -en	_____	_____
an|hängen	_____	

Wörter lernen

23 Fernsehsendungen. Was passt? Ordnen Sie zu.

1. ⬡ der Fernsehfilm
2. ⬡ die Kindersendung
3. ⬡ das Quiz
4. ⬡ die Nachrichten
5. ⬡ der Krimi
6. ⬡ der Tierfilm
7. ⬡ die Sportsendung

24 Welches Wort passt nicht? Streichen Sie.

1. das E-Mail-Programm   öffnen – hören – schließen
2. die Betreffzeile   lesen – schreiben – anrufen
3. den Text   einschalten – korrigieren – lesen
4. eine Datei   anhängen – auswählen – anmelden
5. die E-Mail   abschicken – mitbringen – beantworten

25 Wörter hören und nachsprechen. Hören Sie zu und sprechen Sie nach. 🔊 ⏸ 1.10

1. die Medien – das Handy – die E-Mail – das Online-Spiel – das Quiz
2. die Information – das Programm – die Zeitschrift – der Text
3. informieren – chatten – surfen – speichern – löschen

Endlich Wochenende

1 Was machen die Leute? Ergänzen Sie.

> Picknick machen – einkaufen – spazieren gehen – tanzen – Freunde treffen – essen gehen

_____   _____   _____

_____   _____   _____

2 Wiederholung – Wo kann man ...? Schreiben Sie.

> der Park – die Disko – das Kaufhaus – der Garten – das Restaurant – ~~das Café~~

1. Wo kann man etwas essen?   *Im Café oder* _____

2. Wo kann man Picknick machen?   _____

3. Wo kann man gut einkaufen?   _____

4. Wo kann man tanzen?   _____

3a Was macht Frau Pazzi samstags, was macht sie sonntags? Hören Sie und ergänzen Sie:
Sa für *samstags* und *So* für *sonntags*. 🔊 1.11

( ) **A** ins Kino gehen   ( ) **C** Freunde treffen   ( ) **E** ein Buch lesen

(Sa) **B** für den Deutschkurs   ( ) **D** spazieren gehen   ( ) **F** kochen
        lernen

3b Was macht Frau Pazzi am Wochenende? Schreiben Sie.

Samstags lernt sie zuerst für den Deutschkurs. Dann _____

_____

Sonntags _____

_____

A Wohin gehen wir?

4a Wohin geht Jan? Schreiben Sie.

die Stadt – das Fußballstadion – die Disko – das Café

1. Jan geht in die Stadt.   2. _____

3. _____   4. _____

4b Jan schreibt eine E-Mail an seine Freundin Emma. Lesen Sie und korrigieren Sie.

> Cc:
> Betreff:
> ▶ Anlagen: *keine*
> ab̲c̲ Schriftart ▾ Schriftgr: F *K* U T ≡ ≡ ≡ ≡ ⋮≡ ⋮≡ ⁑⁑ A ▾ ✎
>
> Hallo Emma,
>
> ich bin schon zwei Tage in Berlin. Hier kann man wirklich viel machen. Gestern bin ich
> *in die Stadt*
> ~~in den Zoo~~ gegangen. Danach bin ich ~~in die Bibliothek~~ gegangen und habe dort Zeitung
>
> gelesen und Kaffee getrunken. Am Abend bin ich ~~ins Kino~~ gegangen, dort habe ich Joachim
>
> kennengelernt. Heute sind wir ~~in den Park~~ gegangen und haben ein Fußballspiel gesehen.
>
> Jetzt bin ich müde und gehe ins Bett.
>
> Liebe Grüße
> dein Jan

4c Wohin ist Jan gegangen? Schreiben Sie die E-Mail richtig.

Hallo Emma,
ich bin schon zwei Tage in Berlin. Hier kann man wirklich viel machen. Gestern

5a Was sehen Sie auf dem Bild? Ordnen Sie zu.

> das Messer –
> der Löffel –
> die Gabel –
> der Teller –
> das Glas –
> die Serviette –
> die Blumen

5b Wo sind die Gegenstände? Schreiben Sie.

Das Messer ist neben

_____

_____

_____

_____

6 Wo oder wohin? Schreiben Sie Sätze.

Die Katze springt zwischen die Stühle.

Die Katze steht zwischen

Die Katze läuft

Die Katze liegt

_____

_____

_____

_____

7 Ergänzen Sie die Tabelle.

	der Tisch	die Bank	das Glas	die Stühle (Pl.)
wo?	unter dem Tisch	auf	neben	zwischen
wohin?	unter	auf	neben	zwischen

8 Ein langer Tag! Was ist falsch? Streichen Sie.

Gestern ist Melissa um neun Uhr in den Deutschkurs / ~~im Deutschkurs~~ gegangen. Am Nachmittag ist sie mit ihrer Freundin an den See / am See gefahren. Im Strandcafé haben sie auf die Terrasse / auf der Terrasse einen Cappuccino getrunken. Dann sind sie ins Kino / im Kino gefahren. Ins Kino / Im Kino haben sie Freunde getroffen. Später sind sie in die Disko / in der Disko gegangen.

9 Wo waren Sie gestern? Wohin gehen Sie morgen? Schreiben Sie vier Sätze.

_____

_____

_____

B Bis Sonntag!

10 Im Kurs. Ergänzen Sie *Ja, Nein* oder *Doch*.

1. ◖ Kannst du mir dein Wörterbuch geben?

   ◖ _____, ich habe es zu Hause vergessen. Hast du die Übung nicht verstanden?

   ◖ _____, aber ich weiß nicht, was das Wort *Rechnung* bedeutet.

2. ◖ Hast du kein Heft? Ich kann dir ein Blatt geben.

   ◖ _____, gern. Hast du vielleicht auch noch einen Stift?

   ◖ _____, ich habe nur einen. Sag mal, hast du auch kein Deutschbuch?

   ◖ _____, natürlich. Hier ist es!

11 Textkaraoke. Hören Sie und sprechen Sie die ◖-Rolle im Dialog. 🔊 1.12

🔓 …

◖ Ja. Was wollen wir machen?

🔓 …

◖ Doch. Was läuft denn?

🔓 …

◖ Doch, ich habe ihn schon letzte Woche gesehen.

🔓 …

12   Ergänzen Sie den Dialog.

◀ Max, heute Abend läuft im Kino *Krieg der Sterne*.

    Was meinst du?

    | Doch (3x) – kein – nicht – keine |

◀ Ach, ich weiß nicht …

◀ Hast du _____ Lust?

◀ _____, aber ich mag den Film nicht.

◀ Oder wir können in das neue mexikanische

    Restaurant essen gehen.

◀ Ach, ich weiß nicht …

◀ Magst du _____ mexikanisches Essen?

◀ _____, aber ich habe keinen Hunger.

◀ Ich verstehe, du willst _____ mit mir weggehen.

◀ _____, aber mein Tag war anstrengend.

    Wir können auch zu Hause einen Film sehen.

◀ Ich weiß nicht …

13   Lesen Sie die SMS und schreiben Sie eine Antwort.

Verfassen   Ad T9

Hallo, gehen wir morgen
nach dem Deutschkurs in die
Stadt? Oder hast du keine
Zeit? LG Max

Sie haben Zeit. Aber Sie möchten lieber ins Schwimmbad gehen.

_____

_____

_____

14   Im Restaurant: *bestellen, bezahlen* oder *reservieren*? Ordnen Sie zu.
⊙

1. _____   2. _____   3. _____

◀ Ich hätte gern einen Tisch.   ◀ Möchten Sie bestellen?   ◀ Die Rechnung, bitte.
◀ Für wie viele Personen?   ◀ Ja. Ich hätte gern …   ◀ Zusammen oder getrennt?
◀ Für zwei. Am Freitag.   ◀ Getrennt, bitte.

15   Hören Sie und kreuzen Sie an: Welche Antwort passt? 🔊 1.13

1. Die Gäste hatten …   3. Die Gäste bezahlen …
   O **A** zweimal Pizza und zweimal Salat.   O **A** 30 Euro.
   O **B** zweimal Pizza und einen Salat.   O **B** 28,50 Euro.

2. Die Gäste hatten …
   O **A** zweimal Rotwein.
   O **B** einen Rotwein und ein Bier.

16   Dialoge im Restaurant. Was passt? Ordnen Sie zu.

> Wir möchten gern bestellen. – Ich möchte zahlen, bitte. – Was ist das: Matjesfilet? –
> Stimmt so. – Ich nehme das Gulasch mit Kartoffeln. – Ein Mineralwasser, bitte.

1. ◖ _____

  ◖ Gern.

2. ◖ Was hätten Sie gern?

  ◖ _____

  ◖ Das ist ein Fisch, sehr lecker.

  ◖ Fisch mag ich nicht. _____

  _____

  ◖ Was möchten Sie trinken?

  ◖ _____

3. ◖ _____

  ◖ Ja, das macht zusammen 12,70 Euro.

  ◖ 15 Euro. _____

17   Kreuzworträtsel: Speisen und Getränke. Was ist das? Ergänzen Sie.

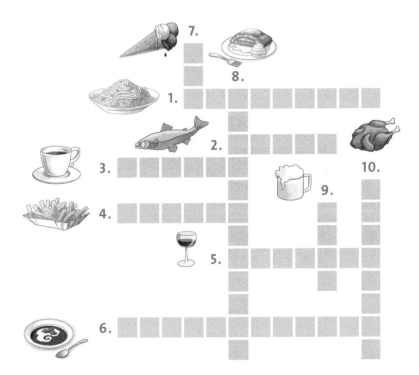

C   Was machen wir am Sonntag?

18a   Der Sonntag bei Familie Özelik. Lesen Sie die Anzeigen und kreuzen Sie an: Welche Anzeigen passen für die ganze Familie?

SONNTAG **2.8.**   M

❶ Run 'n' Rock
○ Landschaftspark Duisburg-Nord, Sinterplatz, 10.00 Uhr
Läufe für Kinderzentrum Ruhrgebiet, Musik, Spiel und Spaß für die ganze Familie

❸ Zoosafari
○ Zoo Duisburg
15.00 Uhr
Mülheimer Str. 273
Öffnungszeiten:
9.00 – 18.00 Uhr

❷ 24. Duisburger Weinfest
○ Weine aus ganz Deutschland
Innenstadt, Königsallee
18.00 bis 23.00 Uhr

❹ Sportpark Flohmarkt
○ Informationen unter
0203-305309
MSV-Arena,
15.00 – 18.00 Uhr

18b   Fragen an die Stadtzeitung. Hier sind die Antworten, schreiben Sie die Fragen.

1. _____? Die Zoosafari fängt um drei Uhr an.

2. _____? Der Flohmarkt ist in der MSV-Arena.

3. _____? Das Weinfest ist von 18.00 bis 23.00 Uhr.

4. _____? Im Landschaftspark gibt es Musik und Spiele für die ganze Familie.

18c   Was macht Familie Özelik? Hören Sie und kreuzen Sie an: richtig oder falsch? ◄)) 1.14

		R	F
1.	Familie Özelik geht am Sonntag zum Flohmarkt.	○	○
2.	Herr Özelik möchte eine Lampe kaufen.	○	○
3.	Familie Özelik will in den Landschaftspark.	○	○
4.	Sie haben für den Landschaftspark nur am Nachmittag Zeit.	○	○

19   Flüssig sprechen. Hören Sie zu und sprechen Sie nach. ◄)) 1.15

1. gegangen. – ins Café gegangen. – Er ist ins Café gegangen.
2. im Café. – ist nicht mehr im Café. – Aber er ist nicht mehr im Café.
3. gegangen. – in den Park gegangen. – Sie ist in den Park gegangen.
4. im Park. – ist nicht mehr im Park. – Aber sie ist nicht mehr im Park.

20   Lesen Sie die E-Mail und beantworten Sie die Fragen.

Cc:
Betreff:
▶ Anlagen: *keine*

Liebe Elena,

ich bin jetzt schon einen Monat in Düsseldorf. Die Stadt ist sehr groß und interessant.
Sonntags gehe ich oft am Rhein spazieren. Hier gibt es viele Restaurants und im Sommer
auch ein Open-Air-Kino. Gestern war ich in einem Strandcafé und habe einen Milchkaffee
getrunken. Am letzten Sonntag waren in der Altstadt viele Straßenmusiker. Das war
wirklich toll. Heute war ich zu Hause. Ich habe für meine Deutschprüfung gelernt.
Wie geht es dir? Was machst du am Wochenende? Kommst du mich besuchen?
Liebe Grüße
Gideon

1. Wie lange ist Gideon schon in Düsseldorf? _____

2. Was macht Gideon sonntags? _____

3. Wo war Gideon am letzten Sonntag? _____

4. Warum war Gideon heute zu Hause? _____

21   Antworten Sie Gideon. Schreiben Sie zu jedem Punkt einen Satz.

- Sie kennen Düsseldorf nicht, aber Sie möchten die Stadt kennenlernen.
- Schreiben Sie über Ihre Sonntage. Was machen Sie sonntags gern?
- Sie möchten Gideon besuchen. Bald ist der Deutschkurs zu Ende. Dann haben Sie Zeit.

Cc:
Betreff:
▶ Anlagen: *keine*

Lieber Gideon,

vielen Dank für deine E-Mail. Ich kenne _____

_____

Sonntags _____

_____

Mein Deutschkurs ist bald zu Ende. Dann kann ich _____

_____

Viel Glück für deine Deutschprüfung und schreib schnell zurück.

Viele Grüße

_____

Wichtige Wörter

endlich _____

samstags _____

sonntags _____

A

2a Deutschtest, der, -s _____

bestehen, er hat bestanden _____

Ich habe den Test bestanden. _____

Fußballstadion, das, -stadien _____

Deutschprüfung, die, -en _____

zurück|schreiben, er hat zurückgeschrieben _____

3a Schirm, der, -e _____

Teller, der, - _____

Gabel, die, -n _____

Katze, die, -n _____

Boden, der, "- _____

Serviette, die, -n _____

Löffel, der, - _____

Messer, das, - _____

Speisekarte, die, -n _____

Gast, der, "-e _____

fallen, er fällt, er ist gefallen _____

B

1a Job, der, -s _____

doch _____

Doch, wir haben Zeit. _____

Glückwunsch, der, "-e _____

Herzlichen Glückwunsch! _____

1b natürlich _____

4a reservieren _____

einen Tisch reservieren _____

Steak, das, -s _____

Rotwein, der, -e _____

getrennt _____

Zusammen oder getrennt? _____

Das macht ... Euro. _____

Stimmt so. _____

Für wie viele Personen? _____

5a Vorspeise, die, -n _____

Hauptspeise, die, -n _____

Nachspeise, die, -n _____

Apfelstrudel, der _____

Weißwein, der, -e _____

C

1a erst _____

verbringen, er hat verbracht _____

Fitnessstudio, das, -s _____

Schwiegereltern, die Pl. _____

voll _____

Das Haus ist voll. _____

_____

_____

_____

Wörter lernen

22 Im Restaurant. Was sehen Sie? Schreiben Sie die Wörter mit Artikel.

der Kellner _____

_____

_____

_____

_____

_____

_____

23 Ergänzen Sie die Sätze.

| reserviert – bestellen – Speisekarte | getrennt oder zusammen – macht – stimmt so – Rechnung |

◖ Guten Tag , wir haben _____ .

◖ Ah ja, der Tisch am Fenster. Bitte schön.

◖ Danke. Die _____ , bitte.

◖ Hier. Möchten Sie schon die Getränke

_____ ?

◖ Ja gern, eine Flasche Mineralwasser.

◖ Die _____ bitte!

◖ Gern. Zahlen Sie _____

_____ ?

◖ Zusammen.

◖ Das _____ 23,80 €.

◖ 25 €, _____ .

24 Was passt zusammen? Verbinden Sie. Schreiben Sie dann Sätze.

den Sonntag **1** ○ ○ **A** feiern

ein Fest **2** ○ ○ **B** verbringen

die Prüfung **3** ○ ○ **C** gehen

ins Fitnessstudio **4** ○ ○ **D** einladen

Verwandte **5** ○ ○ **E** bestehen

Morgen lade ich Verwandte zum Kaffee ein.

_____

_____

_____

_____

25 Wörter hören und nachsprechen. Hören Sie zu und sprechen Sie nach. 🔊 1.16

1. die Prüfung – die Deutschprüfung – das Stadion – das Fußballstadion
2. die Serviette – der Job – das Steak
3. reservieren – bezahlen – zusammen – getrennt

1a   Schule. Finden Sie zehn Wörter und schreiben Sie die Wörter mit Artikel.

B	R	I	D	P	E	Ö	K	U	N	L	E	H
H	A	U	S	A	U	F	G	A	B	E	N	S
E	H	F	R	U	S	G	Y	Z	I	H	O	C
I	L	E	Ü	S	C	H	Ü	L	E	R	T	H
P	Ä	R	G	E	S	H	I	M	V	E	E	U
A	N	I	M	M	D	C	E	Ö	U	R	N	L
L	I	E	B	L	I	N	G	S	F	A	C	H
S	U	N	T	E	R	R	I	C	H	T	J	O
D	E	U	M	U	S	I	K	A	L	O	A	F

1.   *das Lieblingsfach*
2.   _____
3.   _____
4.   _____
5.   _____
6.   _____
7.   _____
8.   _____
9.   _____
10. _____

1b   Wählen Sie fünf Wörter aus 1a aus und schreiben Sie Sätze mit den Wörtern.

1.   *Mein Lieblingsfach war Biologie.* _____
2.   _____
3.   _____
4.   _____
5.   _____

2   Welche Fächer sind das? Ordnen Sie zu.

> Deutsch – Mathematik – Biologie – Englisch – Geschichte – Kunst

❶

❸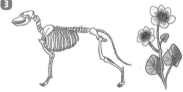

❺

_____   _____   _____

❷

❹

❻

_____   _____   _____

A Schulen in Deutschland

3a Was passt? Ordnen Sie zu.

> die Grundschule – die Berufsschule – die Realschule – die Kita

_____ _____ _____ _____

3b Die Schulzeit von Mareike. Schreiben Sie Sätze.

> in die Berufsschule – ~~in die Kita~~ – in die Realschule – in die Grundschule

Mareike ist zuerst in die Kita gegangen. Dann _____

_____

_____

4 Die Mutter von Jens erzählt. Hören Sie und kreuzen Sie an: richtig oder falsch? 🔊))) 1.17

		R	F
1.	Jens geht in die Grundschule.	○	○
2.	In Mathematik hat er gute Noten.	○	○
3.	Jens möchte Arzt werden.	○	○

5a Was passt zusammen? Verbinden Sie die Sätze.

Wenn er eine Zwei in Mathe hat, **1** ○ ──── ○ **A** verdient er gut.

Wenn er studieren will, **2** ○ ─── ○ **B** dann kann er aufs Gymnasium gehen.

Wenn er Arzt werden will, **3** ○ ○ **C** muss er studieren.

Wenn er Arzt ist, **4** ○ ○ **D** dann muss er gute Noten haben.

5b Schreiben Sie die Sätze aus 5a.

1. *Wenn er eine Zwei in Mathe* **hat** *, dann* **kann** _____

2. _____ , _____

3. _____ , _____

4. _____ , _____

6 Sätze mit *wenn*. Ergänzen Sie die Verben.

1. Kevin macht eine Ausbildung. Er geht in die Berufschule.

   Wenn Kevin eine Ausbildung _____, dann _____ er in die Berufsschule.

2. Erol schafft das Abitur. Er geht zur Universität.

   Wenn Erol das Abitur _____, dann _____ er zur Universität.

3. Corinna will das Abitur machen. Sie muss auf das Gymnasium gehen.

   Wenn Corinna das Abitur _____ _____, dann _____ sie auf

   das Gymnasium gehen.

4. Nico will eine Ausbildung machen. Er kann in die Realschule gehen.

   Wenn Nico eine Ausbildung _____ _____, dann _____ er in die

   Realschule gehen.

7 Schreiben Sie Sätze mit *wenn*.

> Du räumst nicht auf. – Du rufst nicht an. – Das Wetter ist schlecht. – Ich muss viel
> arbeiten. – Du hörst mir nicht zu.

1. *Wenn du nicht* _____, darfst du nicht fernsehen.
2. _____, bin ich traurig.
3. _____, bleibe ich zu Hause.
4. _____, trinke ich viel Kaffee.
5. _____, bin ich ärgerlich.

8 Formulieren Sie die Sätze um.

1. Wenn André krank ist, kann er den Test nachschreiben.

   André kann den Test nachschreiben, wenn er krank ist.

2. Wenn du einen Termin hast, kannst du eine Entschuldigung schreiben.

   _____

3. Wenn du die Stelle haben willst, kannst du in der Firma anrufen.

   _____

4. Wenn du bessere Noten haben möchtest, musst du mehr lernen.

   _____

5. Wenn du etwas nicht verstehst, kannst du den Lehrer fragen.

   _____

9 Geben Sie Tipps. Schreiben Sie.

1. müde sein / einen Kaffee trinken — *Trinken Sie einen Kaffee, wenn Sie müde sind.*

2. Fieber haben / zum Arzt gehen _____

3. die Hose zu klein sein / weniger essen _____

4. nicht schlafen können / spazieren gehen _____

5. nicht fit sein / Sport machen _____

10 Was machen Sie, wenn ...? Schreiben Sie.

1. Sie haben Geburtstag.

   Wenn ich Geburtstag habe, _____

2. Am Wochenende ist das Wetter schön.

   _____

3. Sie haben einen Tag frei.

   _____

4. Ihr Kind bringt ein gutes Zeugnis nach Hause.

   _____

5. Ihr Kind hat Probleme in der Schule.

   _____

11 Noten in Deutschland. Ordnen Sie zu.

mangelhaft –
gut –
befriedigend –
ungenügend –
sehr gut –
ausreichend

Zeugnis

für Naima Mebes

Vorname Name

geboren am 17. Mai 1998   Klasse 5a   2. Halbjahr im Schuljahr 2009 / 10

Deutsch	3	Mathematik	2	
Lesen	2	Naturwissenschaften	5	
Texte verfassen	3	Geografie	6	
Richtig schreiben	3	Geschichte/Politische Bildung	3	
Englisch	4	Kunst	1	
mündlich	4	Musik	2	
schriftlich	3	Sport	1	

12 Hören Sie und kreuzen Sie an: richtig oder falsch? 🔊 1.18

	R	F
1. Philipp hat eine Eins in Geschichte, aber eine Fünf in Englisch.	○	○
2. Wenn Alina das Abitur machen will, muss sie eine Drei in Deutsch haben.	○	○

B Schule früher und heute

13 Wiederholung – Modalverben. Kreuzen Sie an: Was passt?

1. ○ A Er kann schnell laufen.
   ○ B Er darf schnell laufen.

3. ○ A Sie muss in die Disko gehen.
   ○ B Sie darf in die Disko gehen.

2. ○ A Er will lernen.
   ○ B Er muss lernen.

4. ○ A Er will neben Nina sitzen.
   ○ B Er muss neben Nina sitzen.

14 Welches Verb passt? Markieren Sie.

Nach der Grundschule wollten/wollte/wolltet ich in unserem Dorf auf die Realschule gehen. Aber die Lehrerin und meine Eltern wollte/wolltet/wollten, dass ich auf ein Gymnasium in Frankfurt gehe. Deshalb musstest/mussten/musste ich jeden Morgen um halb sieben mit dem Bus in die Stadt fahren. Wir durften/durfte/durftest die Hausaufgaben nicht in der Schule machen. Heute finde ich es aber gut, dass ich Abitur machen konnten/konnte/konntet. Und jetzt studiere ich Geschichte.

15 Modalverben im Präteritum. Ergänzen Sie die Tabelle.

	wollen	dürfen	müssen	können
ich			musste	
du	wolltest			
er/es/sie/man				
wir				
ihr		durftet		konntet
sie/Sie				

16 ◉ *Dürfen, können, müssen* oder *wollen*? Ergänzen Sie die Modalverben im Präteritum.

1. ◄ Ich _____ schon mit fünf Jahren schwimmen! Wann hast du schwimmen gelernt?

   ◄ Ich _____ auch schon mit fünf Jahren einen Schwimmkurs machen. Aber ich

   _____ den Kurs nicht machen, ich hatte Angst.

2. ◄ Wir _____ früher nicht im Schulhof spielen. Das war verboten.

   ◄ Wirklich? Wir _____ in den Pausen rausgehen. Wir _____ nicht im

   Klassenzimmer bleiben.

3. ◄ Was _____ Sie Frau Peters fragen?

   ◄ Ich _____ etwas mit ihr besprechen, aber sie _____ nicht, sie hatte

   keine Zeit.

17a Die Schulzeit von Frau Sanchez. Hören Sie und kreuzen Sie an: richtig oder falsch? 🔊 1.19

		R	F
1.	Frau Sanchez musste Hausaufgaben zu Hause machen.	○	○
2.	Sie durfte nachmittags keinen Tanzkurs machen.	○	○
3.	Die Eltern mussten für die Nachmittagskurse etwas bezahlen.	○	○
4.	Die Schüler durften im Sommer einen Ausflug ans Meer machen.	○	○

17b Was durfte, wollte, konnte und musste Frau Sanchez machen? Hören Sie noch einmal und schreiben Sie. 🔊 1.19

> heiß sein / an den Strand gehen – viel lernen – verschiedene Nachmittagskurse wählen –
> Hausaufgaben in der Schule machen – am Nachmittag schwimmen gehen

1. _____

2. _____

3. _____

4. _____

5. _____

18 ✦✦✦ Und Sie? Was mussten, durften, wollten oder konnten Sie früher machen? Schreiben Sie Sätze. Benutzen Sie die Wörter im Kasten.

> mit ... Jahren – früher – damals

_____

_____

_____

19a Lesen Sie den Brief und unterstreichen Sie die Informationen zu den Fragen.

1. Wohin gehen die Schüler?
2. Wann sollen die Schüler in der Schule sein?
3. Wann ist das Theaterstück zu Ende?
4. Wie viel müssen die Schüler bezahlen?
5. Was machen die Schüler nach dem Theaterstück?
6. Wer soll den Abschnitt der Lehrerin geben?

Liebe Eltern der 6A,

am 17. 12. gehen wir in das Theaterstück „Momo". Die Eintrittskarte kostet 4 €. Ihr Kind soll um 9.00 Uhr in der Schule sein. Wir gehen dann gemeinsam ins Theater. Das Stück ist um 12.00 Uhr zu Ende.
Sie können Ihr Kind direkt vom Theater abholen. Wenn Sie Ihr Kind nicht abholen können, geht es in die Schule zurück. Bitte unterschreiben Sie dann den Abschnitt und geben ihn Ihrem Kind mit.
Mit freundlichen Grüßen
Friederike Jahn

✄ ┈┈

Mein Kind soll nach dem Theaterstück wieder in die Schule gehen.

_____
Unterschrift

19b Beantworten Sie die Fragen in 19a. Schreiben Sie in Ihr Heft.

> *1. Die Schüler gehen ins Theater.*

20 Welches Wort passt? Ergänzen Sie.

> Ausflug – Klassenfahrt – Taschengeld – Schulfest – Elternabend

1. Eine Klasse fährt für ein paar Tage weg. Die Klasse macht eine _____ .
2. Kinder bekommen oft von ihren Eltern etwas Geld, das heißt _____ .
3. Eltern kommen zum _____ in die Schule und sprechen mit dem Lehrer.
4. Eine Schulklasse geht in den Zoo. Die Klasse macht einen _____ .
5. Die Schüler feiern ein _____ in der Schule und laden alle Eltern ein.

21 Flüssig sprechen. Hören Sie zu und sprechen Sie nach. 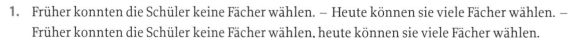 1.20

1. Früher konnten die Schüler keine Fächer wählen. – Heute können sie viele Fächer wählen. – Früher konnten die Schüler keine Fächer wählen, heute können sie viele Fächer wählen.
2. Früher wollten nicht so viele Schüler das Abitur machen. – Heute wollen viele Schüler das Abitur machen. – Früher wollten nicht so viele Schüler das Abitur machen, heute wollen viele Schüler das Abitur machen.

22a   Lesen Sie die Texte. Welcher Satz passt zu welchem Text? Ordnen Sie zu.

1. ◯ Die Schule kostet Geld.

2. ◯ Nicht alle können studieren.

3. ◯ Die Schüler machen noch am Abend Hausaufgaben.

Hui Ma (China)

Ich bin mit sechs Jahren in die Schule gekommen. Die Grundschule dauert bei uns sechs Jahre. Dann bin ich in die Mittelschule gekommen. Dort war ich drei Jahre. Die Schule hat immer um 7.30 Uhr angefangen, um 16.30 Uhr war sie zu Ende. Die sehr guten Schüler konnten mehr Unterricht bekommen, manche mussten sogar bis 21 Uhr bleiben und danach noch die Hausaufgaben machen. Aber wir hatten eine schöne Schuluniform und 14 Wochen Ferien!

Charles Matemera (Simbabwe)

Mit sechs Jahren bin ich in die Schule gekommen, mit 13 dann in die Mittelschule. Wir mussten Schulgeld bezahlen. Ich hatte gute Noten und durfte deshalb nach vier Jahren in die Oberschule. Die Schule hat um 8 Uhr angefangen. Um 13 Uhr hatten wir eine Stunde Mittagspause. Montags und mittwochs hatten wir nachmittags Sport, das war super. Dienstags und donnerstags mussten wir in der Schule sauber machen. Ferien hatten wir natürlich auch: drei Monate.

Ertan Bey (Türkei)

Mit sechs Jahren sind wir in die Schule gekommen. Wir mussten alle eine Schuluniform tragen. Fünf Jahre hat die Grundschule gedauert und drei Jahre die Mittelschule. Ich wollte studieren. Aber das war nicht so einfach, weil viele studieren wollten. Ich habe eine Ausbildung gemacht. Die Ferien sind nicht immer gleich lang: Die Grundschüler haben drei Monate Ferien, die Mittelschüler zweieinhalb.

22b   Grundschulen in der ganzen Welt. Lesen Sie die Texte noch einmal und ergänzen Sie die Informationen über die Grundschule.

	China	Simbabwe	Türkei	Ihr Land
mit wie vielen Jahren?				
wie viele Jahre?				
wie lang Ferien?				

Wichtige Wörter

streng _____

freundlich _____

Fach, das, "-er _____

Lieblingsfach, das, _____
"-er

(Schul)Note, die, -n _____

Schulhof, der, "-e _____

Biologie, die _____

Geschichte, die _____

Kunst, die _____

Physik, die _____

Chemie, die _____

A
1 Grundschule, die, -n _____

Realschule, die, -n _____

Hauptschule, die, -n _____

Gymnasium, das, _____
Gymnasien

Berufsschule, die, -n _____

Universität, die, -en _____

Klasse, die, -n _____

2a mit sechs Jahren _____

Schuljahr, das, -e _____

an|melden _____

an der Schule _____
anmelden

Ausbildung, die, -en _____

eine Ausbildung _____
machen

wenn _____

Abschluss, der, "-e _____

einen Abschluss _____
haben

Autowerkstatt, die, _____
"-en

beide _____

Nachhilfe, die _____

Nachhilfe bekom- _____
men

Abitur, das _____

endlich _____

3 pünktlich _____

fleißig _____

erst _____

4a Langeweile, die _____

Langeweile haben _____

5 eine Eins in Ge- _____
schichte haben

B
1a wählen _____

nach|sitzen, _____
er hat nachgesessen

Klassenlehrer/in, _____
der/die, -/-nen

eine Frage stellen _____

Hauptschulab- _____
schluss, der, "-e

einen Beruf lernen _____

2a Schulzeit, die _____

3 Elternabend, der, -e _____

Klassenfahrt, die, -en _____

Klassenarbeit, die, -en _____

Schwimmunterricht, _____
der

4 Taschengeld, das _____

5a Raum, der, "-e _____

Ende, das	_____	_____
zu Ende sein	_____	_____
Abschnitt, der, -e	_____	_____

Wörter lernen

23   Schreiben Sie Wörter mit *Schule.*

> die Klasse – das Heft – ~~der Ausflug~~ – das Buch – die Tasche – der Bus – das Fest – der Hof

der Schulausflug, _____

_____

_____

24a   Kreuzen Sie an: Was passt?

	machen	besuchen	schaffen	schreiben
1. die Schule	O	O	O	O
2. das Abitur	O	O	O	O
3. den Abschluss	O	O	O	O
4. den Test	O	O	O	O
5. die Prüfung	O	O	O	O

24b   Schreiben Sie fünf Sätze mit den Wörtern aus 24a.

1.   *Sina macht das Abitur im nächsten Jahr.* _____

2.   _____

3.   _____

4.   _____

5.   _____

25   Wörter hören und nachsprechen. Hören Sie zu und sprechen Sie nach. 🔊)) 1.21

1.   Mathematik – Biologie – Physik – Chemie
2.   die Hauptschule – die Realschule – das Gymnasium
3.   die Klassenfahrt – der Elternabend – das Taschengeld – der Schulabschluss

1a Lesen Sie und ergänzen Sie.

Ich kann auf Deutsch

	✔	○

1. über mein Leben in Deutschland berichten   ○ ○

Heimat und Ankunft in Deutschland: *Ich komme aus* _____

Wohnort/Wohnorte in Deutschland: _____

Arbeit in Deutschland: _____

Freunde und Verwandte in Deutschland: _____

2. sagen, wie ich am besten Deutsch lernen kann   ○ ○

> schreiben – nachsprechen – sprechen – neue Wörter behalten – Fehler machen – Übungen machen – ausprobieren – auswendig lernen – mit Wortkarten lernen

_____ ist für mich wichtig.

Ich lerne am besten, wenn _____

Ich _____

3. meine Meinung über das Fernsehen oder das Internet sagen   ○ ○

> Viele Kindersendungen sind gut. – Kinder sehen nicht zu viel fern. – Das Internet bietet mehr Informationen als das Fernsehen. – Es gibt auch im Internet zu viel Werbung.

Ich finde, dass _____.

Ich finde es wichtig, dass _____.

Ich denke, dass _____.

Für mich ist das Internet   ○ wichtig, weil _____.

    ○ nicht wichtig, weil _____.

Ich sehe   ○ gern fern, weil _____.

    ○ selten fern, weil _____.

4. ein E-Mail-Programm erklären   ○ ○

> auswählen – schließen – öffnen – abschicken – schreiben

Zuerst _____ man das Programm. Dann _____ man den Empfänger

_____ und _____ die Betreffzeile und danach den Text. Dann _____

man die E-Mail _____ und _____ das Programm.

5. über das Wochenende erzählen   O   O

Samstags gehe ich _____

_____

Sonntags _____

_____

6. im Restaurant Essen und Getränke bestellen   O   O

❝ Möchten Sie bestellen?

❝ Ja, ich _____ gern _____ .

❝ Und was möchten Sie trinken?

❝ Ich _____ .

> Hähnchen €9,65   Fanta/Cola/ €2
> mit Reis   Sprite
> Steak   €12,95   Bier   €1,90
> mit Pommes
> Frites   Rotwein €3,70

7. Informationen über das Schulsystem in Deutschland verstehen   O   O

> Grundschule – Hauptschule (2x) – Realschule (2x) – Gymnasium (2x) –
> Berufsschule – Universität

Mit sechs Jahren kommen die Kinder in die _____. Danach gehen sie auf

die _____, die _____, das _____ oder

die Gesamtschule. Wenn sie gute Noten haben, gehen sie auf das _____ und

machen das Abitur. Danach können sie an einer _____ studieren. Nach

der _____ oder der _____ macht man eine Ausbil-

dung. Dann muss man auch die _____ besuchen.

8. von meiner Schulzeit erzählen   O   O

In der Schule musste ich _____

Ich durfte _____

Ich wollte _____

Ich konnte _____

1b   Kontrollieren Sie mit den Lösungen und besprechen Sie Ihre Lösungen im Kurs. Markieren Sie
✔ für *kann ich* und O für *kann ich nicht so gut*.

Prüfungsvorbereitung DTZ: Hören

Teil 1 Sie hören vier Ansagen. Zu jeder Ansage gibt es eine Aufgabe. Welche Lösung (A, B oder C) passt am besten? Markieren Sie Ihre Lösungen auf dem Antwortbogen (s. Einleger, S. 30).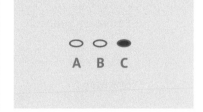

> **Beispiel:**
> Warum ruft die Firma an?
> **A** Der Kunde kann den Fernseher kaufen.
> **B** Der Kunde kann den Fernseher zur Reparatur bringen.
> **C** Der Kunde kann den Fernseher abholen.

1 Was soll Elwa machen?
  A Die Kinokarten reservieren.
  B Die Kinokarten abholen.
  C Um acht Uhr zum Kino kommen.

2 Sie brauchen heute einen Termin beim Arzt. Was können Sie machen?
  A Am Nachmittag noch einmal anrufen.
  B Morgen noch einmal anrufen.
  C Bei einer anderen Praxis anrufen.

3 Wann können Sie nach Berlin fahren?
  A Um 8.33 Uhr.
  B Um 8.20 Uhr.
  C Um 8.06 Uhr.

4 Sie wollen in die Innenstadt. Wo können Sie umsteigen?
  A An der Parkstraße.
  B Am Technischen Museum.
  C Am Hauptbahnhof.

Teil 2 Sie hören fünf Ansagen aus dem Radio. Zu jeder Ansage gibt es eine Aufgabe. Welche Lösung (A, B oder C) passt am besten? Markieren Sie Ihre Lösungen auf dem Antwortbogen (s. Einleger, S. 30). ◀)) 1.23

5 Was hören Sie?
  A Einen Wetterbericht.
  B Eine Verkehrsmeldung.
  C Eine Werbung.

6 Wie wird das Wetter in Süddeutschland?
  A Die Sonne scheint.
  B Es ist windig.
  C Es regnet.

7 Wo ist der Stau?
  A Auf der A1.
  B Auf der A4.
  C Auf der A43.

8 Was gibt es heute Abend im Fernsehen?
- A Eine Sportsendung.
- B Eine Talkshow.
- C Einen Krimi.

9 Wann kann man auf dem Markt einkaufen?
- A Am Samstag.
- B Am Freitag.
- C Am Mittwoch.

Teil 3 Sie hören vier Gespräche. Zu jedem Gespräch gibt es zwei Aufgaben. Entscheiden Sie bei jedem Gespräch, ob die Aussage dazu richtig oder falsch ist und welche Antwort (A, B oder C) am besten passt. Markieren Sie Ihre Lösungen auf dem Antwortbogen (s. Einleger, S. 30). 🔊)) 1.24

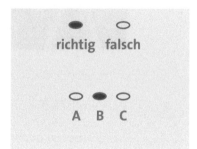

Beispiel:
Die Frau möchte einen Mantel kaufen.

Was ist richtig?
- A Der Mantel kostet 44 Euro.
- B Die Frau hat die Größe 44.
- C Der Frau gefällt der braune Mantel nicht.

10 Eine Verkäuferin spricht mit einem Kunden.

11 Was ist das Thema in dem Gespräch?
- A Der Mann ist mit dem Radio nicht zufrieden.
- B Der Mann möchte ein Radio kaufen.
- C Die Frau erklärt das Radio.

12 Herr Wagner und Herr Lischka sind Nachbarn.

13 Die Mülltonnen sind
- A kaputt.
- B sehr teuer.
- C immer voll.

14 Frau Yildirim lernt bei Frau Busch Deutsch.

15 Was soll Frau Yildirim machen?
- A Sie soll mehr Deutsch lernen.
- B Sie soll mit ihrem Sohn in die Schule kommen.
- C Sie soll Frau Busch zu Hause besuchen.

16 Herr Waldvogel besichtigt eine Wohnung.

17 Was ist richtig?
- A Die Wohnung ist im Erdgeschoss.
- B Die Wohnung ist in der Hauptstraße.
- C Die Wohnung kostet mit Nebenkosten 450 Euro.

1 Berufe. Hören Sie und bringen Sie die Fotos in die richtige Reihenfolge. Schreiben Sie dann die Berufe zu den Fotos. 🔊)) 1.25

_____ _____ _____ _____

2 Was wollten die Leute früher werden, was sind sie heute? Hören und ergänzen Sie. 🔊)) 1.26

früher   heute

1. _____   _____

2. _____   _____

3. _____   _____

3 Was wollten Sie früher werden? Welchen Beruf haben Sie heute oder welchen Beruf wollen
Sie lernen? Schreiben Sie.

_____

_____

A   Im Büro

4a Fragen am Arbeitsplatz. Schreiben Sie Fragen.

1. heute – Sie – im Büro – wie lange – sein?

   ◖ _____ ◖ Heute nicht so lange, nur bis drei Uhr.

2. wo – ich – bekommen – einen Büroschlüssel?

   ◖ _____ ◖ Fragen Sie doch den Hausmeister.

3. Herr Boie – kommen – heute – wann?

   ◖ _____ ◖ Herr Boie? Ich denke, erst um zehn Uhr.

4. kommen – warum – Sie – so spät?

   ◖ _____ ◖ Der Bus hatte Verspätung.

4b Schreiben Sie die Fragen aus 4a anders.

1. Darf ich fragen, *wie lange Sie heute im Büro sind?* _____

2. Können Sie mir sagen, _____

3. Wissen Sie, _____

4. Können Sie mir sagen, _____

5 Polizeikontrolle. Schreiben Sie indirekte Fragen.

1. wie schnell – Sie – sind – gefahren?

   Wissen Sie, _____

2. Sie – nicht sofort – haben – angehalten – warum?

   Können Sie mir erklären, _____

   _____

3. Sie – den Führerschein – wann – haben – gemacht?

   Können Sie mir sagen, _____

4. Sie – haben – in der Tasche – was?

   Darf ich fragen, _____

6 Schreiben Sie die Fragen anders.

⊙

1. Können Sie mir sagen, wer angerufen hat?   *Wer hat angerufen?* _____

2. Darf ich fragen, warum ihr so lange telefoniert habt? _____

3. Wissen Sie, wann er morgen kommt? _____

4. Darf ich fragen, wie alt Sie sind? _____

7a Das Verb *wissen*. Ergänzen Sie.

1. **Im Kindergarten**

   ◖ _____ ihr, wer ein Flugzeug steuert?

   ◖ Ich _____ es! Das ist der Pilot!

   ◖ Richtig, Dominik. _____ du auch,

   wer Flugzeuge baut?

   ◖ Hmm ... Das _____ ich nicht.

2. **Im Büro**

   ◖ _____ Sie, wann der Kollege kommt?

   ◖ Nein, das _____ ich leider nicht. Aber

   Frau Garb _____ es bestimmt.

   ◖ Vielleicht _____ es auch Frau Fink

   und Herr Weimass?

7b Ergänzen Sie.

ich	*weiß*	wir	
du		ihr	
er/es/sie/man		sie/Sie	

8 Schreiben Sie Fragen und Antworten.

> Kannst du / Können Sie mir sagen, … – Weißt du / Wissen Sie, … – Darf ich fragen, …

1. wo – sein – Herr Müller?
   ◄ *Wissen Sie, wo Herr Müller ist?*　　die Kantine
   ◄ *Ja, er ist in der Kantine.*

2. wie lange – dauern – der Film?
   ◄ _____　　20.00 – 22.00 Uhr
   ◄ _____

3. wohin – in Urlaub fahren – Sie?
   ◄ _____　　Frankreich
   ◄ _____

4. wie viel – kosten – das Auto?
   ◄ _____　　25.000 Euro
   ◄ _____

5. wann – anfangen – das Quiz?
   ◄ _____　　20.15 Uhr
   ◄ _____

9 Schreiben Sie Fragen und Antworten.

◄ *Wissen Sie,* _____
_____

◄ _____

◄ _____

◄ _____

◄ _____

◄ _____

B   Mitteilungen

10   Mitteilungen lesen. Lesen Sie und unterstreichen Sie die Antworten im Text.

> Hallo Frau Merkelmann,
> Herr Neumann hat angerufen. Er kann morgen nicht
> kommen, weil er einen Termin in Hamburg hat. Er ruft
> Sie am Donnerstag noch einmal an.
> Viele Grüße
> Ute Kröger

1. Warum hat Herr Neumann
    morgen keine Zeit?
2. Wann ruft er wieder an?

11   *Helfen* + Dativ. Ergänzen Sie die Pronomen.

1. Frau Michels hat wenig Zeit. Können Sie _____ helfen?

    > ihm – ihr – ihnen

2. Herr Kuhl will sein Auto reparieren. Kannst du _____ helfen?

3. Die Kinder verstehen die Hausaufgaben nicht. Kannst du _____ helfen?

12   Pronomen im Dativ. Ergänzen Sie.

> mir – mir – dir – ihr – ihm – uns – euch – Ihnen – ihnen

1. ◖ Kannst du _____ das Buch geben?   ◖ Ich habe _____ das Buch doch gegeben!

2. ◖ Gehst du zum Bäcker? Bringst du _____ Kuchen mit?

    ◖ Ich bringe _____ etwas mit, wenn ihr _____ Geld gebt.

3. ◖ Anna und Marco waren heute im Kino.   ◖ Und hat _____ der Film gefallen?

4. ◖ Herr Bub hat hier seinen Füller vergessen.   ◖ Der gehört nicht _____, der gehört Paul.

5. ◖ Haben Sie die E-Mail an Frau Natusch geschrieben?

    ◖ Ja, ich habe _____ die E-Mail schon gestern geschickt.

6. ◖ So, jetzt habe ich die Tür repariert.   ◖ Das ist sehr nett. Ich danke _____, Herr Mazanke.

13   Pronomen im Nominativ, Dativ oder Akkusativ? Ergänzen Sie.
◉

> sie – sie – sie – ihn – ihr – ihm – er

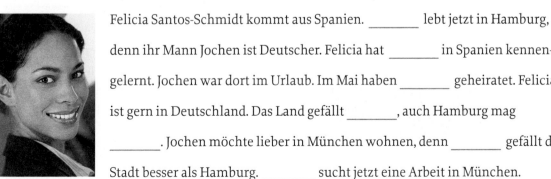

Felicia Santos-Schmidt kommt aus Spanien. _____ lebt jetzt in Hamburg,

denn ihr Mann Jochen ist Deutscher. Felicia hat _____ in Spanien kennen-

gelernt. Jochen war dort im Urlaub. Im Mai haben _____ geheiratet. Felicia

ist gern in Deutschland. Das Land gefällt _____, auch Hamburg mag

_____. Jochen möchte lieber in München wohnen, denn _____ gefällt die

Stadt besser als Hamburg. _____ sucht jetzt eine Arbeit in München.

14 Mitteilungen schreiben. Ordnen Sie zu und ergänzen Sie die Textteile.

> Lieben Gruß – einen Tisch im Restaurant reservieren. Könnten Sie das bitte machen? – Liebe Frau Luttich, – in die Disko. Kommst du mit?

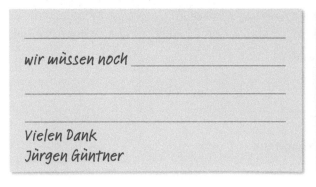

_____

wir müssen noch _____

_____

_____

Vielen Dank
Jürgen Güntner

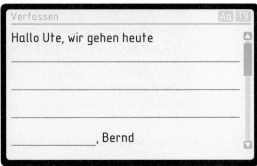

Verfassen   Aa T9

Hallo Ute, wir gehen heute

_____

_____

_____

_____ , Bernd

15 Schreiben Sie zwei Mitteilungen in Ihr Heft.

1. Der Briefträger hat bei Ihnen ein Paket für Ihre Nachbarin abgegeben. Ihre Nachbarin kann das Paket morgen abholen.

2. Sie arbeiten am Computer und verstehen das Computerprogramm nicht. Sie bitten einen Kollegen, dass er Ihnen hilft.

Liebe Frau Melk,

16 Markus Pech hat den Zug verpasst. Schreiben Sie eine SMS zu dem Bild.

Verfassen   Aa T9

C   Wie funktioniert das?

17 Welcher? Dieser! Was passt? Verbinden Sie.

Welcher Kopierer ist kaputt?	**1** ○	○ **A** Diese hier.
Welche Taste ist die Start-Taste?	**2** ○	○ **B** Dieses hier.
Welche Fächer sind für das A4-Papier?	**3** ○	○ **C** Dieser hier.
Welches Papier gehört in das große Fach?	**4** ○	○ **D** Diese hier.

18 Ergänzen Sie die Antwort wie im Beispiel.

1. Welches Kleid ist gelb?

Dieses. _____ _____

2. Welche Schuhe sind schwarz?

_____ _____

3. Welcher Rock ist blau?

_____ _____

4. Welche Bluse ist weiß?

_____ _____

19 *Welch-* und *dies-* im Nominativ und Akkusativ. Ergänzen Sie.

> welchen – ~~welche~~ – welches – dieses – ~~diese~~ – diese – dieser – diesen – diesen

1. ◖ Also, _welche_ Hose nimmst du jetzt?

   ◖ Vielleicht _diese_ hier.

   ◖ Einverstanden. Und _____

   Hemd gefällt dir?

   ◖ _____ hier.

   ◖ Gut, dann nehmen wir es auch.

2. ◖ Was ziehst du heute Abend an?

   ◖ Ich ziehe _____ Anzug und

   _____ Schuhe an.

   ◖ Ach, _____ Anzug gefällt mir

   nicht. Ich finde _____ hier

   schöner!

   ◖ _____ ?

   ◖ Den blauen natürlich!

20 Eine Bedienungsanleitung. Was macht man wo? Verbinden Sie.

○ **1.** Hier drückt man, wenn man telefonieren will.

○ **2.** Hier drückt man, wenn man das Gespräch beenden will.

○ **3.** Hier speichert oder wählt man die Nummern.

○ **4.** Hier steuert man das Menü.

D   Situationen am Arbeitsplatz

21   Ordnen Sie und schreiben Sie die Dialoge.

> Ja, gut. Gehen Sie zum Arzt? – ~~Autohaus König, Reinhard Neuner.~~ – Ja, ich schicke dann eine Krankschreibung. – Guten Morgen, Herr Neuner, hier ist Luisa Rein. Ich bin krank und bleibe heute zu Hause. – Vielen Dank! – Gut, dann gute Besserung!

> ~~Herr Ehlich, ist die Milch schon im Regal?~~ – Ja, bitte. – Dann machen Sie es jetzt, bitte. – Nein, ich hatte noch keine Zeit. Ich war an der Kasse. – Soll ich danach wieder an die Kasse gehen?

Dialog 1

◁ _Autohaus König, Reinhard Neuner._

◁ _____

_____

◁ _____

◁ _____

◁ _____

◁ _____

Dialog 2

◁ _Herr Ehlich, ist die Milch schon im Regal?_

◁ _____

_____

◁ _____

◁ _____

◁ _____

22   In der Cafeteria. Ergänzen Sie den Dialog.

> In Hamburg war es nicht schlecht, aber hier ist es interessanter. – Entschuldigung, ist der Platz noch frei? – Nein, früher habe ich in der Abteilung in Hamburg gearbeitet. – Ich heiße Doreen Berten.

◁ _____

◁ Ja. Ich habe Sie hier noch nicht gesehen. Sind Sie neu in der Firma?

◁ _____

◁ Und wo gefällt es Ihnen besser? Hier in Berlin oder in Hamburg?

◁ _____

◁ Übrigens, mein Name ist Angela Birkel.

◁ _____

◁ Wenn Sie Fragen haben, helfe ich Ihnen gern.

23   Flüssig sprechen. Hören Sie zu und sprechen Sie nach. 🔊 1.27

1. den Termin verschieben. – wir müssen den Termin verschieben. – Es tut mir leid, wir müssen den Termin verschieben.
2. in Ihr Büro kommen. – um 10:15 Uhr in Ihr Büro kommen. – Ich kann morgen um 10:15 Uhr in Ihr Büro kommen.

24 Betriebsausflug. Lesen Sie den Text und beantworten Sie die Fragen.

Cc:
Betreff: Betriebsausflug
Anlagen: keine

Schriftart | Schriftgr: | F K U T | ≡ ≡ ≡ | ≣ ≣ ≣ | A | ✎

Liebe Kollegen und Kolleginnen,

es ist wieder Sommer und wie jedes Jahr findet unser Betriebsausflug statt.
Am 17.7. bleibt die Firma geschlossen. Treffpunkt ist der Bahnhof, Gleis 4,
um 9.00 Uhr. Wir fahren nach Baden-Baden und besuchen das Burda
Museum. Um 13.00 Uhr gibt es Mittagessen im Restaurant Sterntaler. Nach
dem Mittagessen machen wir noch einen Spaziergang durch die Stadt und
fahren um 17.00 Uhr zurück.
Den Eintritt für das Museum (7 Euro) müsst ihr selbst bezahlen. Das Essen
im Restaurant zahlt die Firma.
In der Küche ist eine Liste. Tragt dort bis Freitag eure Namen ein, wenn ihr
mitkommen wollt.

Viele Grüße
Steffi

1. Wann findet der Betriebsausflug statt? _____

2. Wohin fahren die Kollegen? _____

3. Was besichtigen sie? _____

4. Wer bezahlt das Essen im Restaurant? _____

5. Was machen sie am Nachmittag? _____

25 Meinungen über Betriebsausflüge. Welche Aussagen passen?
Hören Sie und ordnen Sie zu. 🔊 1.28

◯ **A** Der letzte Betriebsausflug war interessant.

① **B** Bei einem Betriebsausflug kann man die Kollegen besser kennenlernen.

◯ **C** Betriebsausflüge sind langweilig.

◯ **D** Betriebsausflüge sind nur gut, wenn auch die Chefs mitkommen.

Wichtige Wörter

Arbeitsplatz, der, "-e _____

Erzieher/in, der/die, _____
-/-nen

Kfz-Mechatroniker/ _____
in, der/die, -/-nen

Pilot/in, der/die, _____
-en/-nen

Florist/in, der/die, _____
-en/-nen

überprüfen _____

reparieren _____

steuern _____

kontrollieren _____

Blumenstrauß, der, _____
"-e

binden, er hat _____
gebunden

Busfahrer/in, der/ _____
die, -/-nen

Polizist/in, der/die, _____
-en/-nen

werden, er wird, _____
er ist geworden

Er möchte Pilot _____
werden.

A
3 wissen, er weiß, er _____
hat gewusst

Beleg, der , -e _____

Ordner, der, - _____

4 leid|tun, es tut leid, _____
es hat leidgetan

(Es) Tut mir leid. _____

selbstverständlich _____

5a höflich _____

B Mitteilung, die, -en _____

1 Bericht, der, -e _____

besprechen, er _____
bespricht, er hat
besprochen

installieren _____

Bescheid sagen _____

Sag mir Bescheid. _____

Prospekt, der, -e _____

an|schauen _____

Betriebsversamm- _____
lung, die, -en

Betriebsrat, der, "-e _____

verschieben, er hat _____
verschoben

einen Termin _____
verschieben

Mitarbeiter/in, der/ _____
die, -/-nen

Könnten Sie ...? _____

Könntest du ...? _____

3 zeigen _____

Werkstatt, die, "-en _____

4a Post, die _____

5 Besprechung, die, _____
-en

Notiz, die, -en _____

C
1a Kopierer, der, - _____

1b Taste, die, -n _____

dieser, dieses, diese _____

Fach, das, "-er _____

2a Knopf, der, "-e _____

2b ein|schalten _____

aus|schalten _____

Menü, das, -s _____

drücken _____

Man drückt diese
Taste. _____

D

1b ein|räumen _____

2a Platz nehmen _____

2b Spedition, die, -en _____

_____

_____

Wörter lernen

26a Berufe. Finden Sie sechs Berufe. Schreiben Sie auch die Form für Frauen dazu.

E	M	Z	B	U	F	A	H	E	P	I	L	A
W	E	D	U	I	K	L	V	N	O	Ä	H	T
E	R	Z	S	I	Y	F	O	R	L	U	S	T
I	Z	U	F	P	O	L	I	P	I	L	O	T
M	I	N	A	L	H	O	G	U	Z	A	R	V
M	E	C	H	A	T	R	O	N	I	K	E	R
A	H	G	R	B	T	I	B	U	S	F	H	R
N	E	Z	E	X	Y	S	R	P	T	O	N	M
N	R	A	R	U	M	T	K	Ö	N	F	R	A

1. *der Pilot* / *die Pilotin*

2. _____ / _____

3. _____ / _____

4. _____ / _____

5. _____ / _____

6. _____ / _____

26b Wer macht was? Ordnen Sie die Berufe aus 26a zu.

1. Kinder betreuen: _____

2. ein Flugzeug steuern: _____

3. Verkehrskontrollen

   machen: _____

4. Autos reparieren: _____

5. Blumensträuße binden:

   _____

6. Bus fahren: _____

27 Welches Verb passt? Ordnen Sie zu. Manchmal gibt es mehrere Möglichkeiten.

lesen – schreiben – sagen – verschieben – ausfüllen

1. eine Mitteilung _____

2. ein Formular _____

3. Bescheid _____

4. einen Termin _____

28 Wörter hören und nachsprechen. Hören Sie zu und sprechen Sie nach. 🔊)) 1.29

1. der Ingenieur – die Pilotin – der Polizist – die Erzieherin
2. der Prospekt – die Notiz – die Kopie – das Menü – die Funktion
3. besprechen – Bescheid sagen – reparieren – selbstverständlich

Wohnen nach Wunsch

1a Wie wohnen die Leute hier? Schreiben Sie Sätze.

> der Garten – der Balkon – zentral – außerhalb – ruhig – laut – der Spielplatz –
> in einem Haus – der Hof – in der Innenstadt – das Geschäft

1. _____
   _____

2. _____
   _____

3. _____
   _____

1b Wo wohnen die Familien? Hören Sie und ordnen Sie die Fotos aus 1a zu. 🔊 1.30

◯ Familie Bach   ◯ Familie Kaven   ◯ Familie Müller

1c Hören Sie noch einmal. Warum gefällt den Familien ihre Wohnung / ihr Haus? Schreiben Sie
für jede Familie zwei Sätze mit *weil*. 🔊 1.30

1. Familie Bach findet ihre Wohnung gut, weil _____
   _____

2. Familie Kaven gefällt ihre Wohnung, weil _____
   _____

3. Familie Müller wohnt gern auf dem Land, weil _____
   _____

2 Wo wohnen die Leute? Ergänzen Sie die Artikel.

1. ◖ Wohnen Sie in ein____ Großstadt? ◖ Nein, wir wohnen in ein____ Dorf.

2. ◖ Wohnen Sie in ein____ Reihenhaus? ◖ Nein, wir wohnen in ein____ Wohnung in
   ein____ Hochhaus.

3. ◖ Wohnen Sie auf d____ Land? ◖ Nein, wir wohnen in d____ Innenstadt.

3 Wiederholung – Komparativ. Wie ist das Leben in der Stadt und auf dem Land? Vergleichen Sie und schreiben Sie Sätze in Ihr Heft.

> die Wohnungen sind günstig – es gibt viele Geschäfte – man findet leicht Arbeit – man kann gut ausgehen – die Wohnungen sind gut – die Wohnungen sind teuer – es ist ruhig – die Straßen sind sauber – man kann gut einkaufen – die Kinder können gut spielen

> *Auf dem Land sind die Wohnungen günstiger als in der Stadt.*
> *In der Stadt sind die Wohnungen genauso gut wie auf dem Land.*

4 Wie wohnen Sie? Schreiben Sie vier Sätze.

_____

_____

_____

_____

A Eine Wohnung suchen

5a Abkürzungen verstehen. Lesen Sie die Anzeigen und ordnen Sie zu.

> Nebenkosten – Kaltmiete – Monatsmieten – Erdgeschoss – 1. Stock (= 1. Obergeschoss) – Zimmer – Einfamilienhaus – Einbauküche – Quadratmeter – Balkon – Zentralheizung – Warmmiete

3-Zi-Wohnung in EFH, 72 qm, 1. OG, BLK und EBK, KM 450 €, 150 € NK, Chiffre 2341

5 Zimmer im EG, Terrasse und Garten, 120 m², ZH, WM 810 €, 3 MM Kaution, Tel. 0331252350

5b Anzeigen verstehen. Lesen Sie die Anzeigen in 5a und ergänzen Sie die Tabelle.

	Anzeige 1	Anzeige 2
Wie viel Quadratmeter?		
Wie viele Zimmer?		
Miete?		
Kaution?		
Was gibt es Besonderes?		*Terrasse und Garten*

6 Was passt zusammen? Ordnen Sie zu.

Ist die Wohnung noch frei? **1** ○   ○ **A**   Zwei Monatsmieten.

Wie hoch ist die Kaution? **2** ○   ○ **B**   Nein, da kann ich leider nicht, aber am Freitag.

Wann kann ich die Wohnung besichtigen? **3** ○   ○ **C**   Tut mir leid, sie ist schon vermietet.

Geht es am Samstag? **4** ○   ○ **D**   Um 14 Uhr bin ich in der Wohnung.

7 Wiederholung – Präpositionen *am, um* und *im*. Ergänzen Sie.

◖ Wann zieht ihr um?

◖ Das wissen wir noch nicht, wahrscheinlich _____ Herbst, _____ September.

◖ Und habt ihr schon eine Wohnung?

◖ Nein, aber _____ Montag, _____ 2. 9. besichtigen wir eine Wohnung. Willst du mitkommen?

◖ Ja, gern. Wann _____ Montag?

◖ _____ elf Uhr.

◖ Schade, da habe ich keine Zeit. Geht es nicht auch _____ Wochenende? _____ Samstag?

◖ Nein, leider nicht. _____ Wochenende sind wir nicht da.

8 Textkaraoke. Hören, lesen und sprechen Sie die ☺-Rolle im Dialog. 🗣))) 1.31

😐 ...

☺ Guten Tag, mein Name ist ... Ich habe Ihre Anzeige in der Zeitung gelesen.

😐 ...

☺ Ja, genau. Ist die Wohnung noch frei?

😐 ...

☺ Kann ich die Wohnung besichtigen?

😐 ...

☺ Oh, das ist schwierig. Ich arbeite bis sieben. Kann ich auch etwas später kommen?

😐 ...

☺ Danke schön und auf Wiedersehen.

😐 ...

B   Die neuen Nachbarn

9 *Sich freuen – sich wohl fühlen – sich vorstellen.* Ordnen Sie die Verben zu.

_____   _____   _____

10 Ergänzen Sie die Reflexivpronomen.

1. Familie Bergmann freut _____, weil sie eine schöne Wohnung gefunden hat.

2. Guten Tag, ich möchte _____ vorstellen, ich bin die neue Kursleiterin. Mein

    Name ist Wagner. Stellen Sie _____ bitte auch vor. Möchten Sie anfangen?

3. ◀ Fühlst du _____ nicht gut?

    ◀ Nein, ich glaube ich werde krank. Ich fühle _____ ganz matt.

4. ◀ Morgen kommt Tante Ingeborg mit ihren Kindern. Freut ihr _____?

    ◀ Natürlich freuen wir _____, mit Sofie und Alex kann man super spielen.

11a Reflexivpronomen. Ergänzen Sie die Tabelle.
⊙

Nominativ	ich	du	er	es	sie	wir	ihr	sie/Sie
Reflexiv-pronomen	mich	dich				uns	euch	

11b Ergänzen Sie.

1. ◀ Wie geht es Ihrem Mann?

    ◀ Danke, er fühlt _____ schon wieder ganz gut.

2. ◀ Wie geht es Ihrer Mutter?

    ◀ Danke, sie fühlt _____ noch ein bisschen erschöpft.

3. ◀ Wie geht es dem Baby? Wie fühlt es _____?

    ◀ Es geht ihm gut, aber es kann noch nicht sagen, wie es _____ fühlt.

4. ◀ Wie geht es Ihren Kindern?

    ◀ Sie sind fit und fühlen _____ stark wie immer.

12 Ergänzen Sie die Reflexivpronomen.

1. ◀ Herr und Frau Böger trennen _____. Weißt du das schon?

    ◀ Wirklich? Sie haben _____ doch erst vor einem Jahr kennengelernt.

    ◀ Ja, sie haben _____ schnell verliebt, aber jetzt streiten sie _____ jeden Tag.

    Ich glaube, es ist besser, wenn sie _____ trennen.

2. ◀ Wo habt ihr _____ kennengelernt?

    ◀ Auf einer Party. Wir haben getanzt und Marc hat _____ immer entschuldigt, weil er

    schlecht getanzt hat. Er war so süß. Ich habe _____ sofort verliebt. Ja, und dann haben

    wir _____ oft getroffen und jetzt sind wir schon fünf Jahre zusammen.

13a Wiederholung – Pronomen im Akkusativ. Ergänzen Sie die Tabelle.

Nominativ	ich	du	er	es	sie	wir	ihr	sie/Sie
Akkusativ	*mich*	*dich*				*uns*	*euch*	

13b Ergänzen Sie.

1. Das ist Mario Greiner, unser Kursleiter. Ich muss _____ etwas fragen.

2. Das ist Tanja Ballhaus. Ich habe _____ gestern kennengelernt.

3. Tanja hat ein kleines Baby. Ich finde _____ süß.

4. Wo sind die Kinder? Siehst du _____ ?

14 Frau und Herr Stefano stellen sich vor. Schreiben Sie.

Familienname: Stefano
Heimatland: Italien
seit 20 Jahren in Deutschland
vor einem Monat nach Dresden umgezogen
sich hier wohl fühlen

> *Wir möchten uns vorstellen.*
> *Ich heiße …*

C Schöner wohnen

15a Wiederholung – Möbel in der Küche. Schreiben Sie die Wörter mit Artikel und Plural.

1. _____
2. _____
3. _____
4. _____

5. _____
6. *die Spülmaschine, –n*
7. _____
8. _____

15b Wo steht oder liegt was? Ergänzen Sie die Sätze.

1. Die Stühle stehen _____ Tisch.

2. Die Spüle ist _____ _____ Spülmaschine und _____ Kühlschrank.

3. Die Küchenschränke hängen _____ _____ Wand.

4. Die Tischdecke liegt _____ _____ Tisch.

5. Der Kühlschrank steht _____ _____ Spüle.

6. Die Lampe hängt _____ _____ Tisch.

Wiederholung – Im Wohnzimmer. Schreiben Sie die Wörter mit Artikel und Plural.

1. _das Sofa, -s_   6. _____
2. _____   7. _____
3. _____   8. _____
4. _____   9. _____
5. _____   10. _____

16b   Was kommt wohin? Ergänzen Sie die Sätze.

1. Sie stellen den Schrank _____ _____ Wand.
2. Er stellt das Regal _____ _____ Schrank.
3. Er stellt den Tisch _____ _____ Sofa.
4. Sie hängt das Bild _____ _____ Sofa.
5. Er legt den Teppich _____ _____ Boden.
6. Sie legt die Tischdecke _____ _____ Tisch.
7. Er hängt die Lampe _____ _____ Decke.

17   Welches Verb passt? Ergänzen Sie.

1. liegen – stehen

Die Bücher _____ im Regal.   Die Bücher _____ auf dem Boden.

2. stellen – legen

Sie _____ die Vase auf den Tisch.   Sie _____ die Blumen auf den Tisch.

3. stehen – stellen

Sie _____ den Mülleimer in die Ecke. Der Mülleimer _____ in der Ecke.

4. legen – liegen

Sie _____ die Decke auf den Tisch.   Die Decke _____ auf dem Tisch.

18a *Stehen* oder *stellen*? Ergänzen Sie.

1. ◖ Wohin soll ich die Gläser _____?

   ◖ _____ sie bitte auf den Tisch.

   ◖ Auf dem Tisch _____ doch

   schon Gläser.

   ◖ Entschuldigung, das habe ich nicht

   gesehen.

2. ◖ Wo bist du?

   ◖ Siehst du mich nicht? Ich _____

   die ganze Zeit hinter dir!

3. ◖ Wo _____ das Fahrrad?

   ◖ Ich habe es hinter das

   Haus _____ .

18b *Liegen* oder *legen*? Ergänzen Sie.

1. ◖ Wo _____ Hamburg?

   ◖ Hamburg _____ im Norden

   von Deutschland.

2. ◖ Wie kann ich kopieren?

   ◖ _____ Sie das Papier auf den

   Kopierer und drücken Sie diese Taste.

3. ◖ Ich _____ dein Handy in

   deine Tasche.

   ◖ Nein, kannst du es bitte auf den Tisch

   _____? Dort _____

   auch schon mein Schlüssel.

19 Im Baumarkt. Ergänzen Sie den Dialog.

> Nein, nein, es ist eine ganz normale Lampe. – Ich brauche Dübel und Schrauben. –
> Entschuldigung, können Sie mir helfen? – Nein, danke. Das ist alles. – Ich weiß nicht, ich
> möchte eine Lampe aufhängen.

◖ _____

◖ Gern, was kann ich für Sie tun?

◖ _____

◖ Dübel und Schrauben haben wir da drüben, kommen Sie bitte mit. Welche Größe brauchen Sie?

◖ _____

◖ Ist die Lampe sehr groß und schwer?

◖ _____

◖ Dann nehmen Sie Größe 6 und hier sind auch Schrauben dazu. Brauchen Sie sonst noch etwas?

◖ _____

20 Flüssig sprechen. Hören Sie zu und sprechen Sie nach. 🔊))) 1.32

1. qm. – 75 qm. – Unsere Wohnung hat 75 qm.
2. 180 €. – die Nebenkosten 180 €. – Die Kaltmiete ist 685 €, die Nebenkosten 180 €.
3. das sind 2.055 €. – drei Monatsmieten Kaution bezahlen, das sind 2.055 €. –
   Wir mussten drei Monatsmieten Kaution bezahlen, das sind 2.055 €.

21a Die Nebenkostenabrechnung. Lesen Sie und kreuzen Sie an: Was ist richtig?

○ **A** Herr Piontkowsky muss noch etwas bezahlen.
○ **B** Herr Piontkowsky bekommt Geld zurück.

> Sehr geehrter Herr Piontkowsky,
>
> anbei die Abrechnung der Nebenkosten für Ihre Wohnung in der Bachstraße 3 (2. Stock). Die Rückzahlung überweisen wir bis zum 31.9. auf Ihr Konto.
>
> Mit freundlichen Grüßen
> *Monika Grundeis*

21b Lesen Sie die Nebenkostenabrechnung und ordnen Sie die markierten Wörter zu.

1. ◯ Das hat der Mieter schon an den Vermieter gezahlt.

2. ◯ Das sind die Nebenkosten von Herrn Piontkowsky für das ganze Jahr.

3. ◯ Das hat Herr Piontkowsky zu viel bezahlt. Er bekommt dieses Geld zurück.

	Kosten 2009			Ihr Anteil	
Allgemeinstrom	48,14			21,81	
Straßenreinigung	41,99			14,27	
Grundsteuer	418,75			142,28	
Gebäudeversicherung	924,53			314,12	
Wasser	568,60			213,26	
Müllabfuhr	534,48			150,32	
Wartung Heizung	0,00			0,00	
Schornsteinfeger	89,46			44,73	
Sonderkosten					
A (Gesamt)				900,79 €	
B (Abschlag)				960,00 €	
C (Rückzahlung)				59,21 €	

21c Die Nebenkostenabrechnung genauer lesen. Ergänzen Sie.

1. Wie viel kostet der Strom für das ganze Haus? Wie viel muss Herr Piontkowsky bezahlen?

   Haus: _____   Herr Piontkowsky: _____

2. Wie viel kostet der Müll für das ganze Haus? Wie viel muss Herr Piontkowsky bezahlen?

   Haus: _____   Herr Piontkowsky: _____

3. Wie viel kostet das Wasser für das ganze Haus? Wie viel muss Herr Piontkowsky bezahlen?

   Haus: _____   Herr Piontkowsky: _____

4. Wie viel müssen die Mieter für die Heizung (Wartung, Reparatur) bezahlen?

   _____

Wichtige Wörter

zentral	_____	**2a** sich vor|stellen	_____
außerhalb	_____	hoffentlich	_____
Innenstadt, die, "-e	_____	sich fühlen	_____
Vorort, der, -e	_____	vorher	_____
öffentlich	_____	sich freuen	_____
öffentliche Verkehrsmittel	_____	**3a** stark	_____
		einsam	_____

A

1a KM = Kaltmiete, die, -n	_____	**3b** prima	_____
NK = Nebenkosten, die, Pl.	_____	fit	_____
MM = Monatsmiete, die, -n	_____	etwas besser	_____
Kaution, die, -en	_____	matt	_____
Nachmieter/in, der/die, -/nen	_____	erschöpft	_____
Haustier, das, -e	_____	schwach	_____
1b Zettel, der, -	_____	**4a** sich verlieben	_____
vermietet sein	_____	sich entschuldigen	_____
Makler/in, der/die, -/nen	_____	sich kennen|lernen	_____
3a Kündigung, die, -en	_____	sich streiten	_____
schriftlich	_____	sich küssen	_____
Mieter/in, der/die, -/nen	_____	sich trennen	_____

C

3b kündigen	_____	**1** überraschen	_____
mündlich	_____	streichen, er hat gestrichen	_____
4 meistens	_____	**2** Wand, die, "-e	_____
jemand	_____	Tapete, die, -n	_____

B

1b sympathisch	_____	**3a** stellen	_____
unsympathisch	_____	legen	_____
unfreundlich	_____	Decke, die, -n	_____
		4b auf|hängen	_____

Wörter lernen

22   Wie fühlen sie sich? Ordnen Sie zu und schreiben Sie Sätze.

> krank – einsam – matt – stark – traurig – schlecht – erschöpft – wunderbar – fit

❶

Er fühlt sich _____

_____

_____

_____

❷

_____

_____

_____

_____

❸

_____

_____

_____

_____

23   Eine Wohnung mieten. Was bedeuten die Wörter? Ordnen Sie zu.

> kündigen – der Mieter – der Vermieter – der Mietvertrag

1. Vertrag zwischen dem Mieter und dem Vermieter: _____
2. Einen Vertrag beenden: _____
3. Diese Person wohnt in einer Wohnung und bezahlt jeden Monat Geld: _____
4. Die Wohnung oder das Haus gehört dieser Person, sie bekommt Geld: _____

24   Was passt? Ordnen Sie die Verben zu.

1. nicht zusammen bleiben – _____
2. sich zum ersten Mal treffen – _____
3. jemanden sehr mögen – _____
4. „Verzeihung" sagen – _____
5. ärgerlich mit jemandem sprechen – _____

> sich streiten –
> sich entschuldigen –
> sich trennen –
> sich kennenlernen –
> sich verlieben

25   Wörter hören und nachsprechen. Hören Sie zu und sprechen Sie nach. 🔊)) 1.33

1. der Vorort – die Innenstadt – außerhalb – zentral
2. die Verkehrsmittel – öffentlich – öffentliche Verkehrsmittel
3. die Kaution – die Kündigung – mündlich – schriftlich
4. sympathisch – unsympathisch – sich entschuldigen – überraschen

Feste feiern

1 Wann? – Am ... Schreiben Sie und lesen Sie das Datum laut.

> 3. Oktober – 1. Mai – ~~1. Januar~~ – 21. Juni

1. Wann feiert man Neujahr?   *Am ersten Januar.*
2. Wann ist der deutsche Nationalfeiertag? _____
3. Wann ist der Tag der Arbeit? _____
4. Wann beginnt in Deutschland der Sommer? _____
5. Wann haben Sie Geburtstag? _____

2a Welcher Tag ist das? Ordnen Sie zu.

> der zwanzigste Siebte – der dreiundzwanzigste Fünfte – ~~der erste Vierte~~ – der achte Dritte –
> der neunundzwanzigste Zweite – der neunte Elfte – der neunzehnte Zehnte –
> der achtundzwanzigste Achte

❶ 1
April

❷ 9
November

❸ 20
Juli

❹ 28
August

❺ 8
März

❻ 19
Oktober

❼ 23
Mai

❽ 29
Februar

1. *der erste Vierte*
2. _____
3. _____
4. _____
5. _____
6. _____
7. _____
8. _____

2b Welcher Tag ist heute? Hören Sie und kreuzen Sie die Tage im Kalender an. 🔊 1.34

MAI							JUNI							JULI						
Mo	Di	Mi	Do	Fr	Sa	So	Mo	Di	Mi	Do	Fr	Sa	So	Mo	Di	Mi	Do	Fr	Sa	So
				1	2	3	1	2	3	4	5	6	7			1	2	3	4	5
4	5	6	7	8	9	10	8	9	10	11	12	13	14	6	7	8	9	10	11	12
11	12	13	14	15	16	17	15	16	17	18	19	20	21	13	14	15	16	17	18	19
18	19	20	21	22	23	24	22	23	24	25	26	27	28	20	21	22	23	24	25	26
25	26	27	28	29	30	31	29	30						27	28	29	30	31		

3

Von wann bis wann? – Vom ... bis zum ... Schreiben Sie das Datum in Zahlen.

1. Von wann bis wann geht der Kurs? _Vom 18.3. bis zum_ _____
   (achtzehnten Dritten – fünfzehnten Vierten)

2. Wie lange hat das Geschäft geschlossen? _____
   (zweiten Achten – vierzehnten Achten)

3. Von wann bis wann sind dieses Jahr die Sommerferien? _____
   (dreißigsten Sechsten – neunten Achten)

4

Ergänzen Sie das Datum mit der richtigen Endung.

◖ Welcher Tag ist heute?

◖ Ich glaube, heute ist der _____ (21.) Mai.

◖ Nein, das kann nicht sein. Am _____ (21.) Mai

beginnt mein Deutschkurs. Das ist nächste Woche.

◖ Nächste Woche ist der _____ (28.) Mai. Ich bin ganz

sicher, denn am _____ (28.) Mai hat meine Frau Geburtstag.

◖ Oh nein, dann muss ich sofort los. Mein Deutschkurs beginnt um 18 Uhr.

◖ Viel Spaß! Wie lange dauert denn dein Kurs?

◖ Vier Wochen, vom _____ (21.) Mai bis

zum _____ (17.) Juni.

Und am _____ (18.) Juni ist Prüfung!

5

Wegbeschreibung. Ergänzen Sie.

> geradeaus – vierten – dritte – vierte

◖ Wo wohnst du?

◖ Das findest du ganz leicht. Geh hier _____

und dann die _____ Straße links. Mein Haus

ist auf der linken Seite, es ist das _____ Haus,

neben der Post. Ich wohne im _____ Stock.

6

Hören Sie zu und kreuzen Sie an: Was passt? 🔊 1.35

1. Wann ist der Termin?
   ○ A Am 22.9. um 17 Uhr.
   ○ B Am 22.9. um 17 Uhr 30.
   ○ C Am 21.10. um 18 Uhr.

2. Wo wohnt er?
   A ○   B ○   C ○

A   Einladungen

7   Ordnen Sie die Textteile zu. Schreiben Sie dann die Einladung.

Liebe	**1** ○		○ **A**	euch feiern.
ich habe meinen	**2** ○		○ **B**	einen Salat oder einen Kuchen mitbringen?
Das möchte ich mit	**3** ○		○ **C**	Freunde,
Kommt am Samstag ab acht	**4** ○		○ **D**	Bescheid. Ich freue mich!
Getränke und Musik	**5** ○		○ **E**	Führerschein!
Wer kann noch	**6** ○		○ **F**	zu uns in den Garten.
Sagt mir	**7** ○		○ **G**	habe ich.

```
Cc:
Betreff:
Anlagen:  keine
abⒶ  [Schriftart ▾] [Schriftgrö ▾]  F  K  U  T  ≡ ≡ ≡ ≡ ⅛ ⅛ ⇤ ⇥  A ▾  ✎

  Liebe  _____

  _____

  _____

  _____

  _____

  Martin
```

8   Prüfung geschafft! Ergänzen Sie den Dialog.

> Danke, super. Ich habe meine Prüfung geschafft! – Wir treffen uns bei mir und gehen dann in die Stadt. – Hallo, Anna! Hier ist Lili. – Tschüss! – Ja, klar. Philipp, Marius und Vanessa kommen. Kommst du? – Danke. Ich bin so froh! Und jetzt will ich feiern.

◖ Anna Brezinski.

◖ _____

◖ Hallo Lili, wie geht's?

◖ _____

◖ Oh, toll! Herzlichen Glückwunsch!

◖ _____

◖ Noch heute Abend?

◖ _____

◖ Klar, wohin wollt ihr gehen?

◖ _____

◖ O.k., ich bin um acht bei dir. Bis dann!

◖ _____

9 Wählen Sie eine Situation aus und schreiben Sie eine Einladung in Ihr Heft.

1. Sie sind umgezogen und möchten Ihre Freunde in Ihre neue Wohnung einladen.
2. Sie organisieren in der Schule das Sommerfest und laden alle Eltern ein.
3. Sie feiern Geburtstag und laden Ihre Freunde zu einer Party ein.

10 Wiederholung – Pronomen im Dativ. Ergänzen Sie.

> mir – mir – mir – dir – ihm – ihr – ihr – uns – euch – ihnen – Ihnen

1. Frau Wehner wird heute 60 Jahre alt. Ihre Nachbarn schenken _____ Blumen.

2. ◖ Mein Neffe Tobias wird morgen zehn. Was kann ich _____ zum Geburtstag schenken?

   Und seine Schwester wird übermorgen zwölf. Was soll ich _____ schenken?

   ◖ Du kannst beiden zusammen etwas schenken. Kauf _____ doch eine DVD.

3. ◖ Gib _____ doch bitte die Fernsehzeitschrift.

   ◖ Warte einen Moment, ich gebe sie _____ gleich, ich lese sie gerade.

4. ◖ Können Sie _____ das schriftlich geben?

   ◖ Ja, gern. Ich schreibe _____ eine E-Mail. Geben Sie _____ Ihre E-Mail-Adresse.

5. ◖ Peter und Uli, ich wünsche _____ viel Spaß auf eurer Hochzeitsreise. ◖ Danke.

6. Wir verstehen dieses Wort nicht. Können Sie _____ bitte erklären, was es bedeutet?

11a Was ist das? Schreiben Sie die Wörter mit Artikel und Plural.

die Kette, –n

_____

_____

_____

_____

_____

11b Lukas und Lisa haben Geburtstag. Was kann man ihnen schenken?

1. Lukas hört gern Musik.

   Man kann ihm eine CD schenken.

2. Lisa isst gern Schokolade.

   _____

3. Lisa trägt gern Schmuck.

   _____

4. Lukas muss einen Anzug im Büro tragen.

   _____

5. Lisa und Lukas haben eine neue Wohnung.

   _____

6. Sie laden gern Freunde zum Teetrinken ein.

   _____

12 Ordnen Sie die Sätze und schreiben Sie sie in Ihr Heft.

1. ich – Meinem Sohn – ein neues Handy – schenke.
2. ein Buch – Ich – schenke – zum Geburtstag – meinem Großvater.
3. ein Parfüm – ich – Zum Geburtstag – schenke – meiner Schwester.
4. schenken – In meinem Land – man – darf – keine Messer.

> *1. Meinem Sohn schenke ich*
> *2. Ich*

13 Was schenken Sie? Ergänzen Sie die Sätze.

Wenn ich zu einer Party eingeladen bin, _____

Wenn ich zum Essen bei Freunden eingeladen bin, _____

Wenn meine Freundin Geburtstag hat, _____

B Hochzeit

14 Zwei Hochzeiten in Deutschland. Hören Sie und kreuzen Sie an: richtig oder falsch? 🔊 1.36

A		R	F
1. Herr Binek hat die Hochzeit nur mit seiner Frau organisiert.		O	O
2. Sie waren auf dem Standesamt und dann in der Kirche.		O	O
3. Sie haben ein Hochzeitsfoto gemacht.		O	O
4. Die Gäste wollten nicht viel tanzen.		O	O

B		R	F
1. Frau Pofalla hat eine große Hochzeitsfeier gemacht.		O	O
2. Sie waren erst auf dem Standesamt und dann in der Kirche.		O	O
3. Sie haben lange gefeiert und viel getanzt.		O	O
4. Sie haben eine Hochzeitsreise nach Australien gemacht.		O	O

15 Wiederholung – Farben. Welche Farbe hat die Kleidung? Schreiben Sie.

Das Kleid ist gelb.

_____

_____

_____

16 Das ist kein … Ergänzen Sie wie im Beispiel.

1. schwarz/blau

Das ist keine schwarze Krawatte.

Das ist eine _____

2. schön/hässlich

_____

_____

3. billig/teuer

_____

_____

4. gesund/ungesund

_____

_____

17 Was für …? Ergänzen Sie den Artikel im Akkusativ und die Adjektivendung.

1. ◖ Was für __eine__ Jacke suchst du? ◖ Eine warm__ Winterjacke.

2. ◖ Was für _____ Schuhe trägst du auf der Hochzeit? ◖ Schwarz__ Lederschuhe.

3. ◖ Was für _____ Fernseher hast du gekauft? ◖ Einen sehr günstig__ Fernseher.

4. ◖ Was für _____ Sofa habt ihr gekauft? ◖ Ein rot__ Sofa.

18 Ergänzen Sie die Endungen. Achtung: Manchmal gibt es keine Endung.

1. ◖ Ich suche einen warm__ Wintermantel.

   ◖ Dieser hier ist sehr warm__ und sehr günstig__.

2. ◖ Guten Tag, Sie wünschen? ◖ Ich möchte eine groß__ Cola, eine warm__ Suppe und

   einen frisch__ Salat. Und danach einen klein__ Kaffee.

3. ◖ Was braucht ihr für die Schule, Mariem? ◖ Wir brauchen zwei groß__ Mathehefte, drei

   klein__ und ein groß__ Schreibheft. Und ein klein__ Hausaufgabenheft auch noch.

19 Komplimente. Ordnen Sie zu.

Deine Puppe **1** ○　　　○ **A** steht dir super.

Die Mütze **2** ○　　　○ **B** immer so nett.

Du hast **3** ○　　　○ **C** ist so schön.

Du bist **4** ○　　　○ **D** aber ein schönes Auto.

Darf ich das Auto haben?

20 Textkaraoke. Hören, lesen und sprechen Sie die ☺-Rolle im Dialog. 🔊 1.37

🔘 …

☺ Danke schön, Sie auch.

🔘 …

☺ Wirklich? Das ist nett von dir.

🔘 …

☺ Meinen Sie?

🔘 …

☺ Danke, du auch.

21   Eine Geschichte erzählen. Schreiben Sie die Sätze im Perfekt.

1.   Maja und Viktor heiraten im Sommer. _____

2.   Sie gehen zum Standesamt. _____

3.   Die Mutter von Maja weint. _____

4.   Sie machen ein Hochzeitsfoto. _____

5.   Sie feiern im Restaurant. _____

6.   Am nächsten Tag fahren sie auf Hochzeitsreise. _____

C   Feiern interkulturell

22   Wiederholung – Reflexivpronomen. Ergänzen Sie.

1.   ◖ Guck mal, mit wem unterhält _sich_ denn Sabine?   ◖ Das ist André, er ist neu hier. Ich

   habe _____ auch schon mit ihm unterhalten. Er ist sehr nett.

2.   Wenn Benoit zu einer Party geht, zieht er _____ immer besonders schick an. Er findet,

   dass die Deutschen _____ nicht schick anziehen.

3.   Wenn es auf einer Party gute Musik gibt, dann fühle ich _____ sofort wohl.

4.   ◖ Wo habt ihr _____ kennengelernt?   ◖ Wir haben _____ bei Karo auf der Party

   kennengelernt.

23   Glückwunschkarten. Lesen Sie die zwei Karten und ergänzen Sie die Wörter.

> wünschen – Gute – Herzlichen – Glück – zum – alles

Liebe Eva, lieber Marko,

zu eurer Hochzeit _____

wir euch _____ Liebe

und viel _____ .

Eure Jasmin und Tarek

_____ Glückwunsch

_____ Geburtstag! Alles

_____ für das neue Lebensjahr

wünscht Ihnen

Ihr Pavel Vesniak

24   Flüssig sprechen. Hören Sie zu und sprechen Sie nach. 🔊 1.38

1.   ein Feiertag. – in Deutschland ein Feiertag. – Der 25. 12. ist in Deutschland ein Feiertag.
2.   im Urlaub. – bis zum 14. 3. im Urlaub. – Ich bin vom 3. bis zum 14. 3. im Urlaub.
3.   am 8. 8. – von meinen Freunden ist am 8. 8. – Die Hochzeit von meinen Freunden ist am 8. 8.

25a Lesen Sie den Text und kreuzen Sie an: Was passt?

Karneval der Kulturen

Jedes Jahr – Ende Mai oder Anfang Juni – feiert Berlin ein großes Straßenfest: den Karneval der Kulturen. Das Fest dauert vier Tage. Menschen aus Berlin und Menschen aller Nationalitäten präsentieren ihr Land oder ihre Kultur. Sie feiern und tanzen gemeinsam auf der Straße. Am letzten Tag gibt es einen großen Umzug mit ca. 4000 Menschen aus mehr als 70 Nationalitäten. Es gibt auch einen kleinen Umzug für Kinder. Im Jahr 2000 sind zum ersten Mal mehr als eine Million Besucher zu diesem großen Volksfest gekommen. Das Fernsehen und die Radiosender sind natürlich auch da. Zum Abschluss der vier Tage findet dann eine große Party statt.

	R	F
1. Der Karneval der Kulturen ist ein internationales Fest.	O	O

2. Zum Karneval der Kulturen kommen
O A nur Kinder.
O B 2000 Besucher.
O C viele hunderttausend Besucher.

25b Ein großes Volksfest in Ihrer Region oder ein Volksfest in Ihrer Heimat. Beantworten Sie die Fragen.

1. Wann findet das Fest statt?

_____

2. Wo ist das Fest?

_____

3. Wie viele Menschen kommen?

_____

4. Was macht man auf dem Fest?

_____

Wichtige Wörter

Weihnachten _____

Silvester _____

Feiertag, der, -e _____

A
1 Hochzeitsfeier, _____
die, -n

Betriebsfeier, die, -n _____

Geburtstag, der, -e _____

2a zum Geburtstag _____
einladen

2b schade _____

3 schenken _____

Ich schenke ihm ein _____
Buch.

Kerze, die, -n _____

Praline, die, -n _____

Schachtel, die, -n _____

Kette, die, -n _____

Geschirr, das _____

Parfüm, das, -s _____

Schmuck, der _____

Kinderwagen, der, - _____

Krawatte, die, -n _____

4 Jubiläum, das, -en _____

5 Essen, das _____

zum Essen einladen _____

normalerweise _____

B
1a eng _____

wunderschön _____

romantisch _____

Brautkleid, das, -er _____

Taschentuch, das, "-er _____

Handschuh, der, -e _____

1b Braut, die, "-e _____

Ohrring, der, -e _____

1c Bräutigam, der, -e _____

2 was für einen/ein/ _____
eine ...

3 echt _____

Du siehst echt gut _____
aus.

4b werfen, er wirft, er _____
hat geworfen

Brautpaar, das, -e _____

tauschen _____

C
1 Party, die, -s _____

auf einer Party sein _____

Geschenk, das, -e _____

Gastgeber/in, der/ _____
die, -/-nen

2a sich unterhalten, er _____
unterhält sich, er hat
sich unterhalten

Ich unterhalte mich _____
gern über Filme.

unkompliziert _____

auf|fallen, _____
mir fällt auf,
mir ist aufgefallen

dabei sein _____

vorgestern _____

Stimmung, die _____

normal _____

angezogen sein _____

einzig- _____

der einzige Mann	_____	Frohe Ostern!	_____
3a besorgen	_____	Neujahr	_____
3b übermorgen	_____	Prosit Neujahr!	_____
4a Alles Gute zum/zur ...!	_____		_____
froh	_____		_____
Ostern	_____		

Wörter lernen

26 Weihnachtsgeschenke. Schreiben Sie die Geschenk-Wörter.

Bald ist Weihnachten und ich habe noch keine Geschenke. Was soll ich aber schenken?

Unserer Tochter schenke ich eine _____ , das ist einfach.

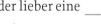

Aber meinem Mann? Eine _____ oder lieber eine _____?

Und meinen Eltern? Vielleicht eine schöne _____ oder zwei _____?

Und meiner Schwester? Ein _____ oder eine Schachtel _____?

Das habe ich ihnen doch schon letztes Jahr geschenkt! Ich weiß schon, ich schenke

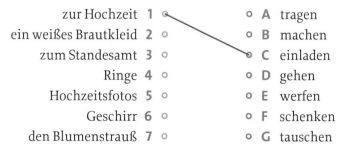

ihnen ein _____ !

27 Eine Hochzeit feiern. Was passt? Ordnen Sie zu.

zur Hochzeit	**1** ⚬	⚬ **A**	tragen
ein weißes Brautkleid	**2** ⚬	⚬ **B**	machen
zum Standesamt	**3** ⚬	⚬ **C**	einladen
Ringe	**4** ⚬	⚬ **D**	gehen
Hochzeitsfotos	**5** ⚬	⚬ **E**	werfen
Geschirr	**6** ⚬	⚬ **F**	schenken
den Blumenstrauß	**7** ⚬	⚬ **G**	tauschen

28 Wörter hören und nachsprechen. Hören Sie zu und sprechen Sie nach. 🎧))) 1.39

1. die Hochzeitsfeier – die Betriebsfeier – das Jubiläum
2. die Praline – das Parfüm – die Krawatte – das Geschirr
3. Frohe Weihnachten! – Frohe Ostern! – Prosit Neujahr!

1a   Lesen Sie und ergänzen Sie.

Ich kann auf Deutsch

	✔	○
1. nach Informationen fragen	○	○

Wissen Sie, _____
_____ ?

Können Sie mir sagen, _____
_____ ?

Preis?

2. eine Kurzmitteilung schreiben	○	○

_____ Dagmar,
leider muss ich unsere
_____ heute
um 14 Uhr verschieben,
weil ich Herrn Elbing vom
Bahnhof abholen muss.
_____ es morgen
um 14 Uhr? Ich komme dann
in dein _____ .

Anna

Viele Grüße – Besprechung –
Geht – Büro – Hallo

3. Gespräche am Arbeitsplatz führen	○	○

◖ Werkstatt Meyer & Söhne, Spekowius am Apparat.

◖ _____

(Name – heute nicht kommen – krank sein)

◖ Gut und danke, dass Sie anrufen. Gehen Sie zum Arzt?

◖ _____

(ja, um 10 Uhr – Krankschreibung schicken)

◖ Dann wünsche ich Ihnen gute Besserung!

◖ _____

(vielen Dank – auf Wiederhören)

4. ein Gespräch mit einem Vermieter führen ⭘ ⭘

◖ Guten Tag, mein Name ist Eils. Ich habe Ihre _____

gelesen. Ist die _____ noch frei?

◖ Ja, ich habe sie noch nicht _____.

◖ Sie haben geschrieben: _____ 2 MM. Was heißt das?

◖ Sie müssen zwei _____ Kaution zahlen, wenn Sie einziehen, also 1.500 Euro.

◖ Ah ja. Könnte ich die Wohnung _____?

◖ Ja, natürlich. Sie können am Freitagabend um 18 Uhr kommen.

> Monatsmieten – Anzeige – Kaution – besichtigen – Wohnung – vermietet

5. neue Nachbarn begrüßen oder mich bei den Nachbarn vorstellen ⭘ ⭘

> sich fühlen – sich vorstellen – sich freuen

◖ Guten Tag, wir möchten _____ _____. Wir sind die neuen Nachbarn. Böger ist mein Name. Und das sind unsere Kinder Florian und Ulrike.

◖ Guten Tag. Ich bin Danna Ovalle. Hoffentlich _____ Sie _____ hier wohl.

◖ Ja, wir _____ _____ sehr, dass wir die Wohnung bekommen haben.

6. eine Person beschreiben ⭘ ⭘

Die Frau trägt _____

_____

_____

Der Mann trägt _____

_____

_____

7. eine Glückwunschkarte schreiben ⭘ ⭘

> zum Geburtstag wünschen – alles Gute – viel Glück

_____

_____

_____

1b Kontrollieren Sie mit den Lösungen und besprechen Sie Ihre Lösungen im Kurs. Markieren Sie ✔ für kann ich und ⭘ für kann ich nicht so gut.

Prüfungsvorbereitung DTZ: Lesen

Teil 2 Lesen Sie die Situationen 1–5 und die Anzeigen A–H. Finden Sie für jede Situation die passende Anzeige. Markieren Sie Ihre Lösungen für die Aufgaben 1–5 auf dem Antwortbogen (s. Einleger, S. 30). Für eine Aufgabe gibt es keine Lösung. Markieren Sie in diesem Fall ein x.

1 Ihre Tochter möchte in München studieren und braucht ein Zimmer.
2 Sie ziehen aus Ihrer alten Wohnung aus. Sie müssen die Wohnung renovieren und suchen einen Handwerker.
3 Sie suchen Möbel für Ihr Wohnzimmer.
4 Ein Kollege von Ihnen möchte ein Haus kaufen.
5 Sie suchen eine neue Wohnung mit drei oder vier Zimmern.

A **3-Zi-Whg.**, 67 m², EBK, Balkon, 3. OG, Aufzug, zentrale Lage, KM 630.–€, NK 140.–€ in Bremen-Horn. Tel. 0421 87 61 293

B ●**Küchenland**

Wir planen mit Ihnen Ihre neue Einbauküche! Große Auswahl an Küchenmöbeln und Elektrogeräten! Viele Sonderangebote.
Auwaldstraße 76, 79110 Freiburg, Tel. 0761 / 994 51 72
Öffnungszeiten: Mo-Sa 10.00–20.00 Uhr

C **Handwerker-Service**

für Umbau- und Renovierungsarbeiten: Malerarbeiten, Elektroarbeiten und vieles mehr.
Rufen Sie uns an unter 030 291 750.
toom – Ihr einfacher Weg zu einem tollen Zuhause.

D Wir, 33 und 39, suchen ab April 3–4 Zi.-Whg. in Bremen. KM bis 600,–€. Tel. 04298 / 333 41 (ab 18.00 Uhr).

E **IMMOBILIENANGEBOTE**

Einfamilienhäuser in der Gartenstadt Vahr – Baujahr 2009:
• 5 Zimmer, 139 m² Wohnfläche, Grundstück ca. 155 m²
 Preis: 209.000 € plus Maklerprovision 3,57 %
• 6 Zimmer, 153 m² Wohnfläche, Grundstück ca. 275 m²
 Preis: 239.000 € plus Maklerprovision 3,57 %

Maklerbüro Gutmann – Tel. 0421 37 51 002

F Umzüge, Möbeltransporte ab 39,–€ pro Stunde inkl. LKW und 3 Mann. Tel. 0176 490 761

H **Nachmieter gesucht** für Studentenzimmer in München-Sendling, EG, 15 m², 220,–€ WM, mit Küchen- und Badbenutzung. Frei ab 1.9., Tel. 0175 / 23 66 19 555

G **Vermietungen – Häuser**
Neuenburg, Stadtmitte. EFH, Bj. 1994, 150 m², EBK, Garage
KM 1245.–€ plus Nebenkosten
Sutters Immobilien. Tel. 07631 714 102

Lesen Sie die zwei Texte. Zu jedem Text gibt es zwei Aufgaben. Entscheiden Sie bei jedem Text, ob die Aussage richtig oder falsch ist und welche Antwort (A, B oder C) am besten passt. Markieren Sie Ihre Lösungen für die Aufgaben 6–9 auf dem Antwortbogen (s. Einleger, S. 30).

LUDWIGSHAFEN. Die Volkshochschule bietet jetzt auch am Nachmittag eine Beratung für Migranten und Migrantinnen an (Montag bis Donnerstag 14.00–17.00 Uhr). Damit ist am Vormittag und am Nachmittag eine Beratung möglich.

2008 hat die Volkshochschule 500 Personen in ihren Integrationskursen unterrichtet. In diesem Jahr sind es schon 600. „Wir wollen, dass die Migrantinnen und Migranten schneller eine Beratung bekommen und dann schneller mit einem Integrationskurs anfangen können", sagt VHS-Direktor Karl-Heinz Müller.

---

6 Die Volkshochschule bietet am Vormittag keine Beratung mehr an.

7 2008

    A haben bei der Volkshochschule 500 Personen eine Beratung bekommen.

    B hatte die Volkshochschule 500 Integrationskurse.

    C haben bei der Volkshochschule 500 Personen einen Integrationskurs gemacht.

Sehr geehrte Eltern der Klasse 5c,

am Montag, dem 19. Oktober, wollen wir den Film *Die wilden Kerle* im Kino-Center Astor besuchen.

Die Kinder kommen wie jeden Tag um 7.50 Uhr in die Schule. Nach der zweiten Stunde fahren wir dann mit dem Bus von der Schule zum Kino. Der Film ist etwa um 12.00 Uhr zu Ende. Wir fahren dann zur Schule zurück.

Bitte geben Sie Ihren Kindern bis Freitag, dem 16. Oktober, 2 Euro für die Busfahrkarte und 5 Euro für die Kinokarte mit.

Mit freundlichen Grüßen

Monika Warmbrunn

Klassenlehrerin

---

8 Am 19. Oktober haben die Kinder keinen Unterricht.

9 Die Eltern sollen

    A den Kindern Busfahrkarten mitgeben.

    B den Kindern Geld mitgeben.

    C die Kinder am Kino abholen.

Neue Chancen

1a Fortbildungskurse. Ordnen Sie die Kurse den Fotos zu.

> Altenpflegekurs – Computerkurs – Kochkurs

Computerkurs

Kochkurs

Altenpflegekurs

1b Was kann man in den Kursen lernen? Schreiben Sie Sätze.

A

1. programmieren lernen _Im Computerkurs kann man programmieren lernen._

2. neue Software kennenlernen _Kann man_

3. neue Spezialitäten kochen lernen _Im Kochkurs kann man_

4. neue Rezepte ausprobieren _____

B

5. wie – man – pflegt – alte Menschen

Im Altenpflegekurs kann man lernen, _wie man_

6. welche Hilfe – brauchen – alte Menschen

Im Altenpflegekurs kann man lernen, _____

2 Wiederholung – Sätze mit *weil*. Schreiben Sie.

> ich muss meine Wohnung renovieren – man verdient als LKW-Fahrer gut –
> man braucht für viele Stellen Computerkenntnisse – ich kann nicht tanzen –
> man bekommt als Altenpfleger leicht eine Stelle

1. Ich finde den Computerkurs interessant, weil _____

2. Ich finde den Tanzkurs interessant, weil _____

3. Ich finde den Heimwerkerkurs interessant, weil _____

4. Ich finde den Altenpflegekurs interessant, weil _____

5. Ich finde den LKW-Führerschein interessant, weil _____

A   Etwas Neues lernen

3a   Lesen Sie die Texte und kreuzen Sie an: Welchen Beruf haben die Personen?

1. Herr Makal arbeitet jetzt als ○ Informatiklehrer. ◉ Taxifahrer. ○ Ingenieur.
2. Frau Shobana ist jetzt ○ Erzieherin. ○ Gymnastiklehrerin. ◉ Hausfrau.
3. Herr Dovic ist ○ Handwerker. ○ Hausmann. ◉ LKW-Fahrer.
4. Frau Miller arbeitet ○ als Sekretärin. ◉ in einer Firma. ○ bei der Post.

Herr Makal

Ich habe als Ingenieur gearbeitet. Aber in Deutschland habe ich keine
Stelle bekommen, weil ich noch nicht gut Deutsch kann und weil ich zu
wenig Computerkenntnisse habe. Ich fahre jetzt Taxi und verdiene genug
Geld, aber ich möchte gern eine Fortbildung in Computerprogrammen
für Ingenieure machen. Dann kann ich wieder als Ingenieur arbeiten.

Frau Shobana

Ich kann jetzt keine Stelle suchen. Die Kinder sind noch klein, sie sind
noch im Kindergarten. Aber ich möchte gern einen Kurs machen. Dann
lerne ich Leute kennen und übe mein Deutsch. Vielleicht mache ich einen
Tanzkurs. Das macht mir Spaß und tut mir gut. Und wenn ich besser
Deutsch kann, dann kann ich den Kindern besser in der Schule helfen.

Herr Dovic

Wir haben eine schöne, große Wohnung gefunden. Aber in der Wohnung
muss ich noch viel renovieren und Handwerker sind so teuer. Deshalb
möchte ich einen Heimwerkerkurs machen, dann kann ich vieles selbst
machen. Ich bin LKW-Fahrer und habe deshalb manchmal ein paar Tage
frei. Dann kann ich zu Hause in der Wohnung arbeiten.

Frau Miller

Ich arbeite in einer Import-Export-Firma. Jetzt mache ich nur einfache
Arbeiten, ich sortiere die Post und verteile sie. Wenn ich besser Deutsch
kann, dann kann ich eine bessere Stelle bekommen. Deshalb möchte ich
jetzt einen Abendkurs machen. Dann kann ich Sekretärin werden.

3b   Lesen Sie die Texte in 3a noch einmal. Was passt zusammen? Verbinden Sie.

Herr Makal fährt Taxi, **1**

Herr Makal möchte eine **2**
Fortbildung machen,

Frau Shobana möchte einen **3**
Kurs machen,

Herr Dovic möchte einen **4**
Heimwerkerkurs machen,

Herr Dovic möchte selbst **5**
renovieren,

Frau Miller möchte einen **6**
Kurs machen,

A damit er seine Wohnung
selbst renovieren kann.

B damit er Geld verdient.

C damit sie Leute kennenlernt.

D damit er nicht so viel Geld
ausgeben muss.

E damit sie eine bessere Stelle in der
Firma bekommt.

F damit er wieder als Ingenieur
arbeiten kann.

4 Lesen Sie die Texte in 3a noch einmal und schreiben Sie einen Text über sich.

_____

_____

_____

_____

5 Schreiben Sie Sätze mit *damit*.

1. Sie macht Sport. Sie bleibt fit.

   Sie macht Sport, damit sie fit bleibt.

2. Er sieht deutsches Fernsehen. Er lernt schneller Deutsch.

   _____ damit schneller Deutsch lernt

3. Ich kaufe meinem Sohn einen Computer. Er kann programmieren lernen.

   _____, damit er programmieren lernen kann.

4. Sie suchen eine Wohnung mit Garten. Die Kinder können draußen spielen.

   _____, damit die Kinder draußen spielen können

5. Er hört jeden Morgen Radio. Er ist immer gut informiert.

   _____, damit er immer gut informiert ist.

6 Schreiben Sie Sätze.

1. damit – sie – kann – kochen – für ihren Besuch

   Sie arbeitet heute nicht, _____

2. damit – er – mitbringt – noch Salz

   Sie ruft ihn an, damit er noch Salz mitbringt.

3. damit – die Nachbarn – können – schlafen

   Sie macht die Musik leiser, damit die Nachbarn schlafen.

7a *Weil* oder *damit*? Ergänzen Sie.

1. Er arbeitet, damit er Geld verdient. earn

   Er arbeitet, weil er Geld braucht.

2. Sie kocht, weil sie Gäste zum Abendessen eingeladen hat.

   Sie kocht, damit die Gäste ein schönes Essen bekommen.

3. Die VHS bietet Deutschkurse an, _____ viele Menschen Deutschkenntnisse brauchen.

   Die VHS bietet Deutschkurse an, damit viele Menschen Deutsch lernen können.

what for?

7b *Warum* oder *wozu*? Schreiben Sie Fragen zu den Sätzen in 7a in Ihr Heft.

1. *Wozu* arbeitet er? – *Damit* er Geld verdient.
   Warum arbeitet er? – *Weil* er *Geld verdienen will*

B Ich interessiere mich für ...

8 Schwierige Wörter. Was ist das? Ordnen Sie zu.

bilWeidungsmemaßternah – deFörrung – raArbeterbeits – nisComterpusekennt –
proSoftgramwareme

1. Wenn man eine Arbeit sucht, kann man zu diesem Menschen gehen: _____

2. Wenn man viel über Computer weiß, hat man gute _____

3. Hier kann man etwas für den Beruf lernen: _____

4. Man bekommt Geld, damit man z. B. einen Kurs machen kann: _____

5. Damit man mit dem Computer arbeiten kann, braucht man _____

9 Wiederholung – reflexive Verben. Ergänzen Sie die Reflexivpronomen.

❬ Wann können wir **uns** treffen?

❬ Vielleicht morgen? Wir können zusammen ins Museum gehen.

❬ Nein, du weißt doch, dass ich _____ nicht für moderne Kunst interessiere.

❬ Interessierst du _____ für Musik? Dann können wir ins Konzert gehen. Vielleicht kommen

   Carlo und Victoria auch mit, sie interessieren _____ für klassische Musik. Danach können

   wir in ein Restaurant gehen. Dort können wir _____ ein bisschen unterhalten.

❬ Das ist eine gute Idee. Ich komme gern mit, ich freue _____ schon.

❬ Ich freue _____ auch.

10a Hören Sie und kreuzen Sie an: Was ist richtig? 🔊 **2.2**

⚪ A Das Gespräch ist in einer Firma.   ⬤ B Das Gespräch ist beim Arbeitsberater.
7 Convo

10b Hören Sie noch einmal. Was passt? Verbinden Sie. 🔊 **2.2**

Sie bewirbt sich um **1**   **A** ihre Berufschancen.
Sie informiert sich über **2**   **B** die Stelle bei Siemens.
Zurzeit nimmt sie an **3**   **C** die Antwort von der
Sie interessiert sich für **4**   Firma.
Sie wartet noch auf **5**   **D** eine Teilzeitstelle.
                          E einer Fortbildung teil.

11 Verben mit Präpositionen. Ergänzen Sie die Präpositionen.

1. ◖ Unser Kurs ist bald zu Ende. Hast du dich schon _____ eine Stelle beworben?

   ◖ Nein, ich muss mich erst noch _____ Kindergartenplätze für die Kinder informieren.

   ◖ Ja, das ist ein Problem. Deshalb interessiere ich mich auch nur _____ eine Teilzeitstelle.

   Ich warte immer noch _____ einen Kitaplatz für Melike.

2. ◖ Was macht dein Sohn? Ist er noch in der Schule?

   ◖ Nein, er wartet noch _____ eine Ausbildungsstelle. Er träumt _____ einer Stelle als

   Kfz-Mechaniker. Er interessiert sich sehr _____ Technik. Er hat sich schon bei drei

   Autowerkstätten _um___ eine Stelle beworben.

12a Wer macht was? Schreiben Sie Sätze.

> sich freuen – warten – sich ärgern – träumen

Das Kind freut sich. _____ _____ _____

be pleased

12b Ergänzen Sie die Sätze aus 12a.

> vom Urlaub – über das Geschenk – über das Fußballspiel – auf seine Freundin

Das Kind freut sich über das Geschenk.   Der Mann ärgernt über das Fußballspiel

_____ _____

13 *Sich freuen über* und *sich freuen auf.* Welche Präposition passt? Ergänzen Sie.

1. ◖ Vielen Dank, ich habe mich sehr _____ dein

   Geschenk gefreut.

   ◖ Bitte. Kommst du nächste Woche zu uns?

   ◖ Ja, ich freue mich schon *auf* den Besuch

   bei euch.

2. ◖ Nächste Woche ziehen wir um. Freust du dich _____ die neue Wohnung?

   ◖ Ja, aber ich freue mich nicht *über* den Umzug. Das ist immer viel Arbeit.

3. ◖ Morgen gibt es Zeugnisse. Freust du dich _____ dein Zeugnis?

   ◖ Na ja, im letzten Jahr haben sich meine Eltern _____ mein Zeugnis gefreut, aber dieses

   Jahr habe ich leider nicht so gute Noten.

   unfortunately

C   Sich für einen Kurs anmelden

14 Kreuzen Sie an: Was bedeuten die markierten Wörter?

1. Frau Moreno will heute bei der VHS vorbeigehen.
   ◉ zur VHS gehen   O nicht zur VHS gehen

2. Sie möchte sich für den Kochkurs anmelden.   *announce/enrol*
   O sich informieren   O sagen, dass sie am Kochkurs teilnehmen will

3. Der Kochkurs findet immer am Freitagabend statt.
   O fängt ... an   O ist

4. Der Kochkurs fängt um 18 Uhr an.
   O beginnt   O endet

15 Textkaraoke. Hören, lesen und sprechen Sie die ☺-Rolle im Dialog. 🔊)) 2.3

   🙂 ...

   ☺ Guten Tag, mein Name ist ... Ich interessiere mich für den Computerkurs am Donnerstag.

   🙂 ...

   ☺ Ist am Dienstag nicht der Kurs für Anfänger? Ich möchte einen Kurs für Fortgeschrittene
   machen.

   🙂 ...

   ☺ Dann möchte ich mich gern für diesen Kurs anmelden. Kann ich das telefonisch machen?

   🙂 ...

   ☺ Gut, dann komme ich gleich vorbei. Danke schön.

   🙂 ...

16 Schreiben Sie einen Dialog in Ihr Heft.

◀ Kurs für Berufsdeutsch

◀ Montag oder Donnerstag?

◀ Montag / anmelden – wo?

◀ im Internet oder im Büro

◀ Adresse vom Büro?

◀ Yorkstraße 135

◀ Entschuldigung / buchstabieren

◀ gern ...

◀ danke / auf Wiederhören

◀ *Guten Tag, mein Name ist*

17a Wann beginnen die Kurse? Hören Sie und notieren Sie den Kurs und die Uhrzeit. ◀)) 2.4

Computerkurs – Tanzkurs – Deutschkurs

Montag, 3.5.	Dienstag, 4.5.	Mittwoch, 5.5.	Donnerstag, 6.5.	Freitag, 7.5.
Montag, 10.5.	Dienstag, 11.5.	Mittwoch, 12.5.	Donnerstag, 13.5.	Freitag, 14.5.

17b Hören und kreuzen Sie an: Was ist richtig? ◀)) 2.5

	R	F
1. Herr Bielski macht jetzt einen Sprachkurs.	○	○

2. Was muss Herr Bielski machen?
   ○ **A** In der Sprachschule vorbeikommen.
   ○ **B** Sich telefonisch anmelden.
   ○ **C** Am Donnerstag zum Kurs kommen.

18 Was machen Sie gern, was können Sie gut? Schreiben Sie fünf Sätze in Ihr Heft.

19 Flüssig sprechen. Hören Sie zu und sprechen Sie nach. ◀)) 2.6

1. Computerkurs. – für den Computerkurs. – Ich interessiere mich für den Computerkurs.
2. Termin? – der nächste Termin? – Wann ist der nächste Termin?
3. Informationen. – für Ihre Informationen. – Vielen Dank für Ihre Informationen.

20 Hobbys. Wie heißen die Hobbys? Schreiben Sie.

1. _Klavierspielen_ 3. _Reiten_ 5. _Malen_

2. _Singen_ 4. _Skifahren_ 6. _Kochen_

21a Menschen und ihre Hobbys. Lesen Sie und ergänzen Sie die Tabelle.

Ulf Stein: Mein Hobby sind die Apfelbäume. Ich brauche für mein Hobby natürlich einen Garten und Werkzeug, z. B. eine Baumschere. Aber das wichtigste ist meine Pflege. Die meisten Leute denken, ein Apfel ist ein Apfel, aber das ist ganz falsch. Man muss die Apfelsorten gut kennen und richtig pflegen. Dann kann man im Herbst viele gute Äpfel ernten.

Mario Ellers: Mein Hobby ist Trommeln. Ich baue auch selbst Drums. Das ist ganz einfach, man braucht kein besonderes Material, man kann z. B. eine Mülltonne nehmen oder einen Karton oder eine Dose. Wichtig ist, dass der Klang interessant ist. Man muss natürlich auch sehr viel üben und verschiedene Sachen ausprobieren.

Chris Anan: Unser Hobby ist Kartenspielen. Am Wochenende machen wir oft einen gemütlichen Spielabend. Wir brauchen nicht viel: mindestens drei Personen, Karten und etwas zu trinken. Am wichtigsten ist, dass man Spaß hat. Wenn einer nicht verlieren kann, soll er lieber nicht mitspielen.

	Was ist sein/ihr Hobby?	Was braucht er/sie?	Was ist besonders wichtig?
Ulf Stein	Apfelbäume pflegen	Ein Garten und Werkzeug	
Mario Ellers			der Klang
Chris Anan	Kartenspielen	drei Personen	nicht ärgern

21b Was ist Ihr Hobby? Was brauchen Sie? Arbeiten Sie mit dem Wörterbuch und sammeln Sie Wörter für das Hobby. Schreiben Sie dann einen Text über Ihr Hobby.

Mein Hobby is Komputerspielen. Ich brauche

Wichtige Wörter

Altenpflegekurs, der, _____
-e

LKW-Führerschein, _____
der, -e

Heimwerkerkurs, _____
der, -e

A
1a Anfänger/in, der/die, _____
-/-nen

Fortgeschrittene, _____
der/die, -n

1b unsicher _____

aus|geben, er gibt _____
aus, er hat ausgege-
ben

Geld ausgeben _____

auf|machen _____

ein Geschäft aufma- _____
chen

2 damit _____

Chance, die, -n _____

Arbeitsmarkt, der _____

nähen _____

Ziel, das, -e _____

3 Berufschance, die, -n _____

LKW-Fahrer/in, der/ _____
die, -/-nen

verschlafen, er _____
verschläft, er hat
verschlafen

wozu _____

Wecker, der, - _____

B
sich interessieren _____

Ich interessiere mich _____
für diesen Kurs.

1a Arbeitsberater/in, _____
der/die, -/-nen

Förderung, die, -en _____

Weiterbildungsmaß- _____
nahme, die, -n

1b Fortbildung, die, -en _____

eine Fortbildung in _____
... machen

1c stimmen _____

Das stimmt. _____

Informatik, die _____

sich bewerben, er _____
bewirbt sich, er hat
sich beworben

Ich bewerbe mich _____
um die Stelle bei ...

Stelle, die, -n _____

Computerkenntnis- _____
se, die, Pl.

teil|nehmen, er _____
nimmt teil, er hat
teilgenommen

Ich nehme an einer _____
Fortbildung teil.

sich weiter|bilden _____

Möglichkeit, die, -en _____

informieren _____

Er informiert die _____
Frau über ihre
Möglichkeiten.

3a sich ärgern _____

Ich ärgere mich über _____
das Wetter.

Politik, die _____

c

sich an|melden	_____
Ich melde mich für einen Kurs an.	_____
1 jederzeit	_____
2b vorbei|kommen, er ist vorbeigekommen	_____
4 privat	_____
an|bieten, er hat angeboten	_____

einmal	_____
einmal pro Woche	_____
5a malen	_____
Reparatur, die, -en	_____
	_____
	_____
	_____

Wörter lernen

22a Suchen Sie die Präpositionen in der Wortliste und schreiben Sie Lernkarten.

> sich ärgern – teilnehmen – sich bewerben – sich interessieren – informieren – sich anmelden

> sich ärgern über
> _____
> _____

22b Schreiben Sie Sätze mit den Verben aus 22a.

> Ich ärgere mich
> über das schlechte
> Essen in der Kantine.

23 Was ist das Gegenteil? Schreiben Sie. Die Wortliste hilft.

1. sicher _____
2. der Anfänger _____
3. Geld verdienen _____

4. Das ist falsch. _Das ist richtig_
5. sich freuen _ich ärgern_
6. pünktlich aufstehen _verschlafen_

be glad

24 Wörter hören und nachsprechen. Hören Sie zu und sprechen Sie nach. 📞⏵ 2.7

1. die Chance – die Weiterbildungsmaßnahme – die Computerkenntnisse
2. die Arbeitsberaterin – die Fortbildung – die Förderung
3. sich interessieren – sich bewerben – sich anmelden

Gesund leben

1 Zu welchem Thema passen die Wörter? Ordnen Sie zu.

corresponds

> fettarm – ~~der Stress~~ – sich entspannen – sich bewegen – abnehmen – joggen –
> Termine haben – das Getränk – Kollegen treffen – mit Kunden telefonieren – lesen –
> fernsehen – ins Kino gehen – das Frühstück – sich ernähren – zunehmen

Ernährung — *fettarm* / *das Getränk*

Freizeit — *joggen* / *lesen* / *ins Kino gehen*

fernsehen

mit Kunden telefonieren — **Beruf** — *Kollegen treffen* / *der Stress*

Termine haben

2a Lesen Sie die Sätze und ordnen Sie sie den Bildern zu.

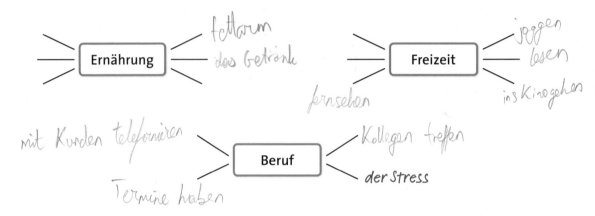

A ①   B ◯   C ◯   D ④

ich ernähre mich immer gesund.

1. Ich <u>entspanne mich</u> am besten, wenn ich im Garten arbeite.

2. Ich kaufe viel frisches Obst und Gemüse. Ich möchte, dass <u>sich</u> unsere Kinder gesund <u>ernähren</u>.

3. Ich <u>bewege mich</u> zu wenig. Ich muss wieder ins Fitnessstudio gehen.

4. Ich habe einen Monat Diät gemacht und ich <u>habe</u> vier Kilo <u>abgenommen</u>! *put on* / *lose*

2b Schreiben Sie Sätze mit den markierten Verben in 2a.

1. _____

2. _____

3. _____

4. _____

A Gesunde Ernährung

3 Was ist das? Ergänzen Sie die Tabelle.

Milch-produkte	Obst	Gemüse	Fleisch	Getreide-produkte	Getränke
der Käse	der Apfel	der Salat	das Möhrchen	das Brot	das Wasser
der Joghurt	die Bananen	die Zwiebel		die Nudeln	Orangensaft
die Butter		Paprika		die Brötchen	der Kaffee

4a Familienfest bei Tante Nelli. Lesen und unterstreichen Sie *alle, viele, wenige* und *niemand*.

Wenn Tante Nelli zum Familienfest einlädt, fehlt niemand. Es gibt immer sehr viel Spaß und ihr Kuchen ist einfach phantastisch. Ich kenne wenige, die so gut backen können! Alle erzählen, essen, trinken und lachen zusammen. Wenige von uns können aber sehr lange bleiben, weil viele einen weiten Weg nach Hause haben.

4b Ergänzen Sie: *viele, wenige, alle* und *niemand*.

alle   viele   wenige   niemand

5 Auf der Party. Was passt? Ergänzen Sie *alle, viele, wenige* und *niemand*.

Susanne ist auf einer tollen Party. Sie telefoniert mit ihrem Freund. Sie möchte, dass er auch kommt:

Alle haben Spaß! Viele tanzen schon die ganze Zeit! Nur Wenige sitzen und unterhalten sich. Wirklich! Niemand findet die Party langweilig.

6 Gesunde Ernährung in Ihrem Heimatland. Schreiben Sie in Ihr Heft.

niemand – alle – viele – wenige

In meinem Heimatland essen viele Leute Käse

B   Bei der Krankenkasse

7a   Beratung bei der Krankenkasse. Hören Sie und kreuzen Sie an: Was ist richtig? 🔊 ≫ 2.8

Welchen Kurs möchte die Frau machen?
- ☐ **A** Einen Sportkurs.
- ☐ **B** Einen Ernährungskurs.
- ☒ **C** Einen Yoga-Kurs.

7b   Hören Sie noch einmal und kreuzen Sie an: richtig oder falsch? 🔊 ≫ 2.8

		R	F
1.	Sie sucht einen Kurs gegen Stress.	☒	☐
2.	Sie macht einen Kurs am Montag.	☐	☒
3.	Sie muss sich für den Kurs telefonisch anmelden.	☒	☐
4.	Sie kann die Kursgebühr von der Krankenkasse zurückbekommen.	☒	☐

C   Beim Arzt

8   Ein Arztbesuch. Ergänzen Sie.

~~3 Monat~~ *quarter (year)*

Quartal

> kaKransseken – xisbührgePra – sitenVerkarcherte – talQuar – bungschreiKrank

1. Wenn man zum Arzt geht, braucht man die <u>Versichertenkarte</u>.   = Krankmeldung

2. Wenn man krank ist, bekommt man vom Arzt eine <u>Krankschreibung</u> für den Arbeitgeber.

3. Man ist bei einer <u>Krankenkasse</u> versichert.

4. Drei Monate im Jahr nennt *heisst* man auch ein <u>Quartal</u>.

5. Wenn man zum Arzt geht, muss man jedes Quartal die <u>Praxisbührge</u> bezahlen.

9   Kreuzworträtsel: Arztbesuch. Ergänzen Sie die Verben.

1. die Augen ...
2. ein Medikament ...
3. gegen Tetanus ...
4. eine Spritze ...
5. in die Praxis zur Untersuchung ...
6. ein Attest für die Schule ...
7. Blut ...

10a Zu welchem Arzt gehen Sie? Verbinden Sie und schreiben Sie Sätze mit *wenn*.

Zahnarzt **1** — **A** eine neue Brille brauchen
Augenarzt **2** — **B** Rückenschmerzen haben
Hausarzt **3** — **C** Kind: Fieber und Halsschmerzen haben
Kinderarzt **4** — **D** Zahnschmerzen haben

1. Wenn ich Zahnschmerzen habe, gehe ich zum Zahnarzt.
2. Wenn ich eine neue Brille brauchen, gehe ich zum Augenarzt.
3. Wenn ich Rückenschmerzen habe, gehe ich zum Hausarzt.
4. Wenn mein Kind Fieber hatt, gehen wir zum Kinderarzt.

10b Was lassen Sie dort machen? Schreiben Sie.

> ~~meine Zähne kontrollieren~~ – mir eine neue Brille verschreiben – mir eine Spritze gegen
> Rückenschmerzen geben – mein Kind untersuchen

1. Beim Zahnarzt lasse ich meine Zähne kontrollieren.
2. Beim Augenarzt lasse ich mir eine neue Brille verschreiben.
3. Beim Hausarzt lasse ich mir ein Spritze gegen Rückenschmerzen geben.
4. Beim Kinderarzt lasse ich mein Kind untersuchen.

11 Ergänzen Sie *lassen*.

1. Sie _lassen_ die Wohnung streichen.
2. Ich _lasse_ die Fenster putzen.
3. Wir _lassen_ unser Auto reparieren.
4. _Lässt_ du die Lampen anschließen?
5. Sie _lassen_ die Wohnung putzen.
6. _Lasst_ ihr eure Hemden reinigen?

12 Pascal und das Hotel „Mama". Schreiben Sie Sätze.

aufräumen = to tidy

1. Pascal wäscht die Wäsche nicht selbst.
   Er lässt seine Mutter die Wäsche waschen.
2. Pascal räumt nicht selbst auf.
   Er lässt seine Mutter aufräumen.
3. bügelt nicht selbst. ~~Wäsche~~
   Er lässt seine Mutter ~~die Hose~~ bügeln.
4. kochen Essen
5.

D In der Apotheke

13 Dialog in der Apotheke. Ergänzen Sie den Dialog.

> Muss ich etwas zuzahlen? – Und wie lange? – Ich habe hier ein Rezept. –
> Wie oft muss ich die Tabletten nehmen? – Hat das Medikament Nebenwirkungen?

◀ Guten Tag, was kann ich für Sie tun?

◀ _____

◀ Einen Moment ... So, hier haben wir das Medikament.

◀ _____

◀ Ja, fünf Euro.

◀ _____

◀ Dreimal täglich, am besten vor dem Essen.

◀ _____

◀ Zwei Wochen. Sie müssen alle Tabletten nehmen. Auch wenn es Ihnen
   schon besser geht.

◀ _____

◀ Ja, manchmal kann man leichte Magenprobleme bekommen.

14 Textkaraoke. Hören Sie und sprechen Sie die ☺-Rolle im Dialog. 🔊 ⬭ 2.9

🔉 ...
☺ Ich habe starken Husten.
🔉 ...
☺ Nein, noch nicht. Können Sie mir Medikamente empfehlen?
🔉 ...
☺ Haben die Tabletten Nebenwirkungen?
🔉 ...
☺ Wie oft muss ich die Tabletten nehmen?
🔉 ...
☺ Vielen Dank. Auf Wiedersehen.

15 Was passt? Ordnen Sie zu.

dreimal täglich **1** ○   ○ **A** ein Rezept für Medikamente schreiben
Medikamente verschreiben **2** ○   ○ **B** zum Beispiel Magenschmerzen durch Medikamente
Nebenwirkungen haben **3** ○   ○ **C** Tabletten mit etwas Wasser nehmen
ein Medikament nehmen **4** ○   ○ **D** am Morgen, am Mittag und am Abend

E   Stress und Entspannung

16a   Tipps gegen Stress. Wie entspannen sich die Personen? Hören Sie und ordnen Sie zu. 🔊 2.10

A ②

B ④

C ①

D ③

Herr Kunz   Frau Krejci   Frau Wagner   Herr Lopez

16b   Wiederholung – Sätze mit *wenn*. Schreiben Sie Sätze.

1. Frau Wagner: Stress haben – eine Fahrradtour machen

    Wenn Frau Wagner Stress hat, macht sie _____

2. Herr Kunz: sich entspannen möchten – im Garten arbeiten

    _____

3. Herr Lopez: gut schlafen wollen – mit dem Hund spazieren gehen

    Wenn M Lopez gut schlafen will, geht er mit dem Hund spazier

4. Frau Krejci: ein Problem haben – mit ihrer Freundin sprechen

    Wen _____ " hat , da _____

17a   Tipps geben. Schreiben Sie Sätze mit *wenn* in Ihr Heft.

~~mit der U-Bahn fahren~~ – mehr Sport machen – einen Tee trinken – einkaufen gehen

1. Wenn Sie jeden Tag im Stau stehen, können Sie mit der U-Bahn fahren.
2. Wenn Sie zu viel wiegen ... hat, müssen Sie mehr Sport machen.
3) Wenn Sie nicht schlafen können, sollen Sie einen Tee trinken.
4) Wenn Sie nichts im Kühlschrank haben, müssen Sie einkaufen gehen.

17b Wiederholung – Imperativ. Schreiben Sie die Tipps aus 17a anders.

make sie?

1. *Fahren Sie doch mit der U-Bahn.*
2. Machen Sie doch mehr Sport
3. Trinken Sie doch einen Tee.
4. Gehen Sie doch einkaufen?

18 Wie entspannen sich die Personen? Lesen Sie die Texte und antworten Sie.

Stefanie Nett

Wenn das Wetter schön ist, fahre ich an einen See. Wenn es mir dann zu warm wird, gehe ich schwimmen. Im Winter gehe ich gern in die Sauna oder höre zu Hause Musik.

Sven Nett

Ich brauche immer Bewegung! Ich jogge gern oder fahre mit dem Fahrrad. Wenn das Wetter ganz schlecht ist, dann gehe ich ins Schwimmbad. Im Winter probieren wir mit Freunden auch gern neue Kochrezepte aus. Gutes Essen – das ist die beste Entspannung!

1. Wie entspannt sich Frau Nett im Sommer?

2. Was macht sie, wenn es kalt ist?

Sie geht zu Sauna oder hört Musik.

3. Wohin geht Herr Nett bei schlechtem Wetter?

~~Er geht ins See~~ Wenn das Wetter schlecht ist, geht er ins Schwimbad.

4. Was macht Herr Nett gern mit seinen Freunden?

Wenn Herr Nett mit Freunden ist, probiert er neue Kochrezepte aus

19 Wie entspannen Sie sich? Schreiben Sie drei Sätze.

Wenn ich mich entspanne höre ich Musik. Wenn das Wetter ist gut, angele ich gern.

20 Flüssig sprechen. Hören Sie zu und sprechen Sie nach. 2.11

1. versichert. – bei der Techniker-Krankenkasse versichert. – Ich bin bei der Techniker-Krankenkasse versichert.
2. Vorsorgeuntersuchungen machen. – regelmäßig Vorsorgeuntersuchungen machen. – Ich lasse regelmäßig Vorsorgeuntersuchungen machen.
3. sehr wichtig. – Ernährung finde ich sehr wichtig. – Gesunde Ernährung finde ich sehr wichtig.

21a   Lesen Sie den Test und kreuzen Sie an.

Welcher Entspannungstyp sind Sie? Testen Sie sich.

	meistens	manchmal	nie
1. Wenn ich Stress habe, sind meine Muskeln sehr angespannt.	(1)	3	5
2. Ich kann lange ruhig sitzen oder liegen.	5	3	(1)
3. Ich finde beides wichtig: Ruhe und Bewegung.	1	(3)	5
4. Ich kann mich gut konzentrieren.	(5)	3	1
5. Wenn ich nervös bin, spreche ich schnell und undeutlich.	(1)	3	5
6. Ich träume gern.	(5)	3	1
7. Ich entspanne mich gern bei Musik.	(5)	3	1

dream

Auswertung

35–25

Sie sind der Entspannungstyp 1:

Sie können gut träumen und Phantasiereisen machen. Auch Massagen tun Ihnen gut,
z. B. eine Gesichtsmassage. Aromadüfte: Zitrone, Melisse, Lavendel.

23–13

Sie sind der Entspannungstyp 2:

Sie brauchen aktive Übungen zum Entspannen. Die Muskelentspannung nach Jacobson
passt gut zu Ihnen. Aromadüfte: Orange und Lavendel.

13–7

Sie sind der Entspannungstyp 3:

Für Sie ist viel Bewegung wichtig. Jogging, Walking, Radfahren und Schwimmen passt zu
Ihnen. Aromadüfte: Basilikum und Melisse.

21b   Lesen Sie Ihre Auswertung und antworten Sie.

1. Welcher Entspannungstyp sind Sie?   2

2. Welche Übungen passen zu Ihnen? *fit for you*

3. Welches Aroma ist gut für Sie?   *Orange und Lavendel*

Wichtige Wörter

sich entspạnnen _____

fẹttarm _____

ạblnehmen, er nimmt ab, er hat abgenommen _____

zulnehmen, er nimmt zu, er hat zugenommen _____

sich bewẹgen _____

gesụnd _____

ụngesund _____

sich ernähren _____

schlạnk _____

dịck _____

A

1a Mịlchprodukte, die, Pl. _____

Getrẹideprodukte, die, Pl. _cereal_

2b niẹmand _nobody_

wẹnige _____

viẹle _____

ạlle _____

B

1a Ạngestellte, der/die, -n _employee_

mịtlteilen _to tell_

Ạrbeitsstelle, die, -n _____

dabẹilhaben, er hat dabei, er hatte dabei _____

nọtwendig _necessary_

Dokumẹnt, das, -e _____

Heiratsurkunde, die, -n _____

versịchert sein _____

C

1 ịmpfen _vaccinate_

gegen Tetanus impfen _____

Attẹst, das, -e _____

Sprịtze, die, -n _____

Blụt, das _____

Blut abnehmen _____

Ạrzthelferin, die, -nen _____

4a lạssen, er lässt, er hat gelassen _____

Vọrsorgeuntersu-chung, die, -en _screening_

rẹinigen _____

5 ạnlschließen, er hat angeschlossen _connected_

transportiẹren _____

bügeln _to iron_

spạren _to save [money]_

D

1b zulzahlen _____

Apothẹker/in, der/die, -/-nen _____

verschrẹiben, er hat verschrieben _prescribe_

Tablẹtte, die, -n _____

Nẹbenwirkung, die, -en _side-effect_

Mạgenschmerzen, die, Pl. _stomach-pain_

2b ẹinmal _____

zweimal _____

E

Entspạnnung, die _____

1 Ạlltag, der _every day.... (i.e normal day)_

stressig	_____	2 ein|schlafen, er	*to fall asleep*
anstrengend	*tiring [eg work]*	schläft ein, er ist eingeschlafen	
sich fühlen	*I feel ... [müde]*	nervös	_____
frisch	_____		_____
Luft, die	_____		_____
Spaziergang, der, "-e	*a walk / trip*		
probieren / versuchen	*try*		

Wörter lernen

22   Wie heißt das Gegenteil? Verbinden Sie.

abnehmen **1** ——— **A** keinen Sport machen
sich entspannen **2** ——— **B** zunehmen
sich gesund ernähren **3** ——— **C** aufwachen
einschlafen **4** ——— **D** ungesund essen
sich bewegen **5** ——— **E** Stress haben
sich krank fühlen **6** ——— **F** gesund sein

23a   Beim Arzt. Welches Verb passt? Ordnen Sie zu.

> nehmen – impfen – abnehmen – untersuchen – geben – ~~verschreiben~~

1. ein Medikament   *verschreiben*   4. eine Spritze   *geben*
2. Halstabletten   *nehmen*   5. die Augen   *untersuchen*
3. gegen Grippe   *impfen*   6. das Blut   *abnehmen*

23b   Schreiben Sie Sätze mit den Wörtern aus 23a.

1. *Der Arzt hat mir ein Medikament gegen Kopfschmerzen verschrieben.*
2. _____ *zweimal am Tag Halstabletten nehmen.*
3. *Meine Ärztin* _____
4. *Wenn man* _____
5. _____
6. _____

24   Wörter hören und nachsprechen. Hören Sie zu und sprechen Sie nach. 🎧))) 2.12
1. die Praxis – die Vorsorgeuntersuchung *examination* – die Arzthelferin
2. das Dokument – das Attest – die Tablette – der Apotheker
3. sich bewegen – sich ernähren – sich entspannen

Arbeitssuche

einladen = invite

---

1 Die Arbeitssuche von Jochen. Ergänzen Sie.

> Praktikum – Arbeitsvertrag – Stellenanzeigen – Vorstellungsgespräch – Arbeitsstelle – Bewerbungsmappe – Zeitarbeitsfirmen

Zuerst hat Jochen sich bei _____ beworben und hat _Stellenanzeigen_ in der Zeitung und im Internet gelesen. Er hat auch ein _Praktikum_ bei Siemens gemacht. Dann hat er in der Tageszeitung eine Anzeige gefunden. Er hat seine _Bewerbungsmappe_ an die Firma geschickt. Zwei Wochen später hat ihn die Firma zu einem _____ eingeladen. *invited* Er hat die _____ bekommen. Gestern hat er den _____ unterschrieben.

---

2 Wie haben Sie oder Ihre Bekannten Arbeit gefunden? Schreiben Sie.

Mein Onkel hat mich angerufen und hat gefragt: "Willst du nach DEU kommen und hier arbeitet?" Und ich habe "Ja" gesagt.

A Stellenanzeigen lesen

3a In welchen Stellenanzeigen sind die Eigenschaften wichtig? Ordnen Sie zu.

1. belastbar (C)
2. flexibel (B)
3. teamfähig (A)

various

A Sie arbeiten gern mit anderen Menschen zusammen und wollen Erzieher oder Erzieherin werden? Unsere **Kindertagesstätte bietet einen Praktikumsplatz.**

Kita Sonnenkinder
Leuthenerstraße 17
10829 Berlin
Tel.: 030 43 25 621

teacher

B Hotel in Fulda sucht **Hotelfachmann/-frau** für die Rezeption. Sie können zu verschiedenen Zeiten arbeiten, z. B. auch nachts? Dann schicken Sie Ihre Bewerbung an:

HOTEL AM DOM
Wiesenmühlenstraße 6
36037 Fulda

C *Für unser Modegeschäft in der Innenstadt von Dortmund suchen wir **Verkäufer (m/w)** mit Berufserfahrung. Wenn Stress bei der Arbeit kein Problem für Sie ist, schicken Sie Ihre Bewerbung an:*

Dania Moden
Herr Schwecke
Hansaplatz 15
44173 Dortmund

Notfall = emergency

3b Wo haben sich die Personen beworben? Hören Sie drei Interviews und ordnen Sie die Anzeigen aus 3a zu. 🔊))) 2.13

1. Frau Blohm ◯
2. Frau Yilmaz ◯
3. Herr Gees ◯

3c Hören Sie die Interviews noch einmal und kreuzen Sie an: richtig oder falsch? 🔊))) 2.13

	R	F
1. Frau Blohm hat jetzt keine Arbeit.	⊘	◯
2. Sie hat ein Vorstellungsgespräch in Kassel.	◯	◯
3. Frau Yilmaz beendet bald die Realschule.	◯	◯
4. Sie hat schon einen Ausbildungsplatz.	◯	◯
5. Herr Gees hatte zehn Jahre keine Arbeit.	◯	◯
6. Sein Gehalt ist jetzt besser als früher.	◯	◯

salary/pay   *complete*

4 Der Klassenausflug. Was machen wir? Ergänzen Sie *würde*.

Bald machen wir unseren Klassenausflug.
Was _____ ihr gern machen?

Wir _____ gern ins Schwimmbad gehen!

Ich _____ auch gern ins Schwimmbad gehen!

Lea und Jakob sind nicht da. Ich glaube, sie _____ lieber ins Theater gehen. Und ich auch.

Du _____ gern ins Theater gehen? Das glaube ich nicht!

Ich glaube, Jakob _____ lieber ins Schwimmbad gehen.

5 Schreiben Sie die Sätze noch einmal. Benutzen Sie *würde gern*.

1. Ich möchte gern Fußball spielen. — *Ich würde gern Fußball spielen.*
2. Möchtest du auch Fußball spielen? — _____
3. Er möchte gern Basketball spielen. — *Er* _____
4. Wir möchten gern Karten spielen. — *Wir würden* _____
5. Möchtet ihr auch Karten spielen? — _____
6. Sie möchten gern einen Ausflug machen. — _____

6 Was würde Victor gern machen? Schreiben Sie Sätze.

1. machen – ein gutes Abitur   _Victor würde gern ein gutes Abitur machen._

2. finden – eine Freundin   _Er würde_

3. sprechen – mehr – mit seinen Eltern   _____

4. studieren – Medizin – in Heidelberg   _____

5. bestehen – die Führerscheinprüfung   _____

7 Marietta ist nicht zufrieden. Welche Wünsche hat sie? Schreiben Sie.

1. Sie verdient nicht viel.

   Sie würde gern

2. Sie arbeitet sehr viel.

   Sie würde gern weniger arbeiten.

3. Sie kann am Nachmittag keine Pause machen.

   _____ eine Pause machen._

4. Sie darf nicht an der Fortbildung (teilnehmen). — _to attend_

   _____ an der Fortbildung teilnehmen._

8 Welche Wünsche haben Sie für den Beruf? Schreiben Sie drei Sätze.

_____

_____

_____

B Der erste Kontakt

9 Wiederholung – Nebensätze mit Fragewort. Schreiben Sie Fragen.

1. Wo arbeiten Sie? Darf ich fragen, _wo Sie arbeiten?_

2. Wie lange dauert die Ausbildung? Wissen Sie, _____

3. Wie viel kann man verdienen? Können Sie mir sagen, _wie viel man verdienen kann._

4. Warum haben Sie diesen Beruf gewählt? Darf ich fragen, _Warum Sie diesen Beruf gewählt haben._

10 Gedanken über die Heirat. Was denken Ulla und Martin? Schreiben Sie Sätze.

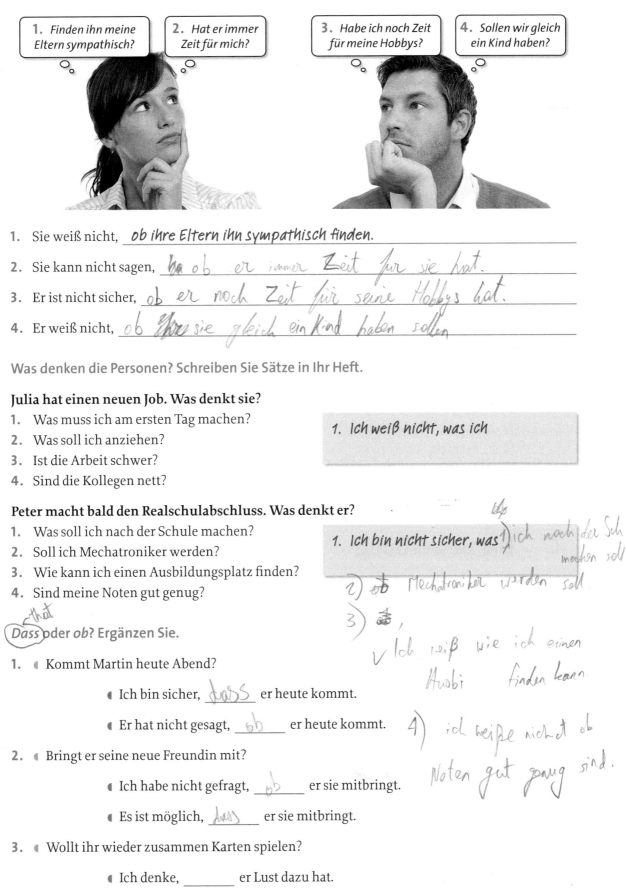

> 1. *Finden ihn meine Eltern sympathisch?*
> 2. *Hat er immer Zeit für mich?*
> 3. *Habe ich noch Zeit für meine Hobbys?*
> 4. *Sollen wir gleich ein Kind haben?*

1. Sie weiß nicht, *ob ihre Eltern ihn sympathisch finden.*
2. Sie kann nicht sagen, *~~ha~~ ob er immer Zeit für sie hat.*
3. Er ist nicht sicher, *ob er noch Zeit für seine Hobbys hat.*
4. Er weiß nicht, *ob ~~ihre~~ sie gleich ein Kind haben sollen*

11 Was denken die Personen? Schreiben Sie Sätze in Ihr Heft.

Julia hat einen neuen Job. Was denkt sie?
1. Was muss ich am ersten Tag machen?
2. Was soll ich anziehen?
3. Ist die Arbeit schwer?
4. Sind die Kollegen nett?

> 1. Ich weiß nicht, was ich

Peter macht bald den Realschulabschluss. Was denkt er?
1. Was soll ich nach der Schule machen?
2. Soll ich Mechatroniker werden?
3. Wie kann ich einen Ausbildungsplatz finden?
4. Sind meine Noten gut genug?

> 1. Ich bin nicht sicher, was ~~ich~~ ich nach der Sch machen soll
>
> 2) ~~ob~~ Mechatroniker werden soll
>
> 3) ~~~~ ✓ Ich weiß wie ich einen Ausbi finden kann.
>
> 4) ich weiße nicht ob Noten gut genug sind. ✓

12 *that* ~~Dass~~ oder *ob*? Ergänzen Sie.

1. ◀ Kommt Martin heute Abend?

   ◀ Ich bin sicher, *dass* er heute kommt.

   ◀ Er hat nicht gesagt, *ob* er heute kommt.

2. ◀ Bringt er seine neue Freundin mit?

   ◀ Ich habe nicht gefragt, *ob* er sie mitbringt.

   ◀ Es ist möglich, *dass* er sie mitbringt.

3. ◀ Wollt ihr wieder zusammen Karten spielen?

   ◀ Ich denke, _____ er Lust dazu hat.

   ◀ Ich bin nicht sicher, _____ er Lust dazu hat.

13 Ist die Stelle noch frei? Ergänzen Sie den Dialog.

> Bekommt man einen festen Stundenlohn? – Guten Tag, Jetan Haralan. Sie suchen einen Fahrer. Ist die Stelle noch frei? – Können Sie mir sagen, wie die Arbeitszeiten sind?

◀ Müller-Transporte, am Apparat Yasin Gül. Guten Tag.

◀ _____

◀ Ja, sie ist noch frei.

◀ _____

◀ Wir beginnen um acht Uhr morgens und arbeiten bis 17 Uhr. Mittags gibt es eine Stunde Pause.

◀ _____

◀ Das sollten wir hier besprechen. Kommen Sie bitte morgen um 14 Uhr in mein Büro.

14 Textkaraoke. Hören Sie und sprechen Sie die ◻-Rolle im Dialog. 🔊 2.14

🔲 ...
🔲 Ich habe gelesen, dass Sie Aushilfen für die Weihnachtszeit suchen.
🔲 ...
🔲 Ja, das geht. Wie sind die Arbeitszeiten genau?
🔲 ...
🔲 Ja, in einem Supermarkt.
🔲 ...
🔲 Gern. Wie ist Ihre Adresse?

C Die Bewerbung

15a Der Lebenslauf von Sergej Pilakew. Wiederholung – Perfekt. Ergänzen Sie die Partizipien.

Ich heiße Sergej Pilakew. Ich bin am 11. 3. 1984 in Omsk in Russland geboren. 1999 habe ich in

Omsk den Schulabschluss ____gemacht____ (machen). Von 1999 bis 2002 habe ich am

Technikum den Beruf Mechatroniker ____gelernt____ (lernen).

Danach habe ich drei Jahre in einem Mercedes-Servicecenter und dann bis 2009 in einem

Toyota-Servicecenter ____gearbeitet____ (arbeiten). Im September 2009 bin ich nach

Deutschland ____gekommen____ (kommen).

Von November 2009 bis Juli 2010 habe ich bei der AWO in Lübeck einen Integrations-

kurs ____besucht____ (besuchen) und mit dem DTZ ____beendet____ (beenden).

Seit August 2010 mache ich ein Praktikum in der Autowerkstatt Schmidt in Lübeck. Meine

Muttersprache ist Russisch und ich spreche schon gut Deutsch.

Lesen Sie den Text in 15a noch einmal und ergänzen Sie die fehlenden Informationen.

Lebenslauf

Persönliche Daten

Vor- und Nachname: *Sergej Pilakew*

Anschrift: Kampweg 15, 23569 Lübeck

Telefon: 0451/77 54 12

E-Mail: SPilakew@gmx.net

Geburtsdatum/-ort: *11.3.1984 / Omsk, Russland*

Familienstand: verheiratet

Schulbildung

07/99 Schulabschluss, Omsk

Berufsausbildung

09/99–06/02 _____, Omsk

Berufserfahrung

seit 08/10 _____, Lübeck

05/05–07/09 _____, Omsk

07/02–04/05 _____, Omsk

Kenntnisse

Russisch: _____

Deutsch: B1 (11/09–07/10: _____, AWO, Lübeck)

16 Geben Sie Ratschläge. Was sollten die Personen machen?

ein neues Auto kaufen – Urlaub machen – ins Fitnessstudio gehen – zum Augenarzt gehen

❶ Er sollte zum _____

❸ Sie sollte Urlaub machen.

❷ Er sollte ins Fitnessstudio gehen

❹ Sie sollte _____

17a   Herr Engström im Vorstellungsgespräch. Hören Sie und kreuzen Sie an: Welchen Beruf hat er? ◀))) 2.15

     A   O   Koch

     B   O   Hotelfachmann

     C   ⊠   Kellner

17b   Hören Sie das Gespräch noch einmal und kreuzen Sie an: richtig oder falsch? ◀))) 2.15

	R	F
1. Herr Engström hat seine Ausbildung im Hotel Elbufer gemacht.	O	O
2. Er spricht kein Englisch.	O	⊠
3. Er hat die Gäste bedient und beraten.	O	O

18 ⊙   Fragen beim Vorstellungsgespräch. Hören Sie und kreuzen Sie an: Welche Antworten passen? ◀))) 2.16

1.   ⊠ **A**   Ein Jahr.
    O **B**   Bei der Sprachschule Kramer in Offenburg.
    O **C**   Ich habe die Prüfung gemacht.

2.   O **A**   Deutsch ist sehr schwer.
    O **B**   Es gibt eine Deutschprüfung.
    ⊠ **C**   Ich habe den DTZ gemacht.

3.   ⊠ **A**   Da habe ich keine Probleme.
    O **B**   Gestern habe ich etwas geschrieben.
    O **C**   Ich verstehe alles.

4.   O **A**   Nur in meinem Heimatland.
    ⊠ **B**   Ich hatte hier noch keine Arbeit.
    O **C**   Ich suche Arbeit.

19a   Was passt? Ergänzen Sie die Fragen.

> Stress – Stelle – Schichtarbeit – Überstunden – Team

1. Wir arbeiten hier 24 Stunden am Tag. Haben Sie schon in _Schichtarbeit_ gearbeitet?

2. Sind Sie belastbar? Bleiben Sie in Situationen mit _Stress_ ruhig?

3. Arbeiten Sie lieber im _Team_ oder alleine?

4. Sie sagen, Sie würden gern bei uns arbeiten. Warum ist die _Stell_ für Sie interessant?

5. Können Sie abends auch länger bleiben und _Überstunden_ machen?

19b   Wie antworten Sie auf die Fragen in 19a? Schreiben Sie in Ihr Heft.

> *Ja, ich habe*

20   Flüssig sprechen. Hören Sie zu und sprechen Sie nach. ◀))) 2.17

1. am Wochenende arbeiten. – Ich würde gern am Wochenende arbeiten.
2. in Teilzeit arbeiten. – Ich würde gern in Teilzeit arbeiten.
3. ein eigenes Geschäft haben. – Ich würde gern ein eigenes Geschäft haben.

21a Tipps für ein Vorstellungsgespräch. Lesen Sie den Text und ordnen Sie die Überschriften zu.

> Fragen und Antworten vorbereiten – Letzte Vorbereitungen – Informationen sammeln – Korrekte Kleidung – Beim Vorstellungsgespräch

1. _____

Informationen über die Firma können Sie im Internet, in der Tageszeitung oder auch in Prospekten finden. Vielleicht kennen Sie auch Personen, die in der Firma arbeiten.

2. _____

Welche Fragen hat die Firma an mich, was kann ich fragen? Schreiben Sie Fragen auf und notieren Sie Ihre Antworten. Üben Sie die Fragen und Antworten mit einem Freund oder einer Freundin.

3. _____

Die Kleidung muss korrekt sein und sie muss zu der Stelle passen. Bei einer Bewerbung z. B. als Verkäufer in einer Metzgerei darf die Kleidung ruhig etwas sportlicher sein. Hier passt auch eine gepflegte Jeans.

4. _____

Kommen Sie fünf Minuten vor dem Gesprächstermin und bringen Sie das Einladungs-schreiben mit. Schalten Sie Ihr Handy aus. Kommen Sie allein. Die Einladung ist nur für Sie.

5. _____

Sehen Sie Ihren Gesprächspartner bei der Begrüßung freundlich an und lassen Sie ihn ausreden, wenn er spricht. Sprechen Sie ruhig und deutlich. Bedanken Sie sich am Ende für das Gespräch.

21b Was sollte man machen? Schreiben Sie drei Sätze.

Kleidung: _Die Kleidung sollte_ _____

Letzte Vorbereitungen: _Man sollte_ _____

Im Vorstellungsgespräch: _____

Bewerbung = application

Art = kind/type

Wichtige Wörter

Arbeitssuche, die	
Bewerbungsmappe, die, -n	
Arbeitsvertrag, der, "-e	
Vorstellungsgespräch, das, -e	*interview*
Aushang, der, "-e	*job notice*
Praktikum, das, Praktika	
Zeitarbeitsfirma, die, -firmen	*temporary work company*
Bekannte, der/die, -n	*acquaintance*
Initiativbewerbung, die, -en	

A

1a Personalberater/in, der/die, -/-nen	
zuverlässig	
flexibel	
belastbar	*hour wage*
engagiert	
teamfähig	
verschieden	*various* ~~(things? different)~~
zusammen|arbeiten	
Stress, der	
2 Tätigkeit, die, -en	*activity*
Schichtarbeit, die, -en	*shift-work*
Wochenendarbeit, die, -en	
Bedingung, die, -en	*condition (requirement)*
Berufserfahrung, die, -en	

Eigenschaft, die, -en	
Voraussetzung, die, -en	*prerequisite*
Teilzeit, die	*part-time employment*
in Teilzeit arbeiten	
Vollzeit, die	*full-time employment*
Deutschkenntnisse, die, Pl.	*German knowledge*
Aushilfe, die, -n	*temp. ~~help~~ work*
Fahrer/in, der/die, -/-nen	*driver*
3 fleißig	*hard-working*
ehrlich	*honest*
kreativ	
geduldig	*patient*
4 Reisebüro, das, -s	*travel agency*
Traum, der, "-e	*dream*
5 fest	*strong/tough*
eine feste Stelle	

B

1b Stundenlohn, der, "-e	~~student loan~~
1c ob	*whether*
2 an|nehmen, er nimmt an, er hat angenommen	*accept*
sicher	*sure*
leicht	*easy*

C

1a Lebenslauf, der, "-e	*CV*
persönliche Daten	*personal details*
Anschrift, die, -en	*address*
Schulbildung, die	*education*
Berufsausbildung, die	*work qualification*

Kenntnisse, die, Pl. _knoledge_

Interesse, das, -n _interest_

1c Bewerbungsschrei- ben, das, -

Bewerbungsfoto, das, -s

3a Arbeitspause, die, -n

Überstunde, die, -n _overtime_

4a Teamarbeit, die

Reinigungskraft, die, "-e _janitor_

Arbeitnehmer/in, der/die, -/-nen _worker_

weiter|arbeiten _to carry on working_

Wörter lernen

22 Welche Verben passen? Verbinden Sie und schreiben Sie Sätze in Ihr Heft.

Stellenanzeigen **1** ○ ⎯⎯⎯⎯ ○ **A** einladen
ein Praktikum **2** ○　　　　○ **B** machen
den Arbeitsvertrag **3** ○　　　　○ **C** sich bewerben
zum Vorstellungsgespräch **4** ○　　　　○ **D** lesen
bei Zeitarbeitsfirmen **5** ○　　　　○ **E** unterschreiben

> 1. Wenn du Arbeit suchst, musst du Stellenanzeigen lesen.

23a *Bewerbungs-, Arbeits-* oder *Berufs-*? Ergänzen Sie die Nomen mit Artikel.

> das Foto – die Ausbildung – das Schreiben – ~~die Mappe~~ – die Zeit – die Schule – der Tag – die Suche – die Erfahrung

1. **Bewerbungs-:** _die Bewerbungsmappe,_

2. **Arbeits-:** _A_

3. **Berufs-:**

23b Ergänzen Sie die Sätze mit Wörtern aus 23a.

1. Ich habe einen langen _Arbeitstag_ . Meine _Arbeitszeit_ ist von 8 bis 18 Uhr.

2. Für die _____ braucht man Lebenslauf, Zeugnisse, _reference_
   ein _____ und auch ein _F_ .

3. Ich habe meinen Beruf auf der _Berufschule_ und in einem Friseursalon in Essen
   gelernt. Dort habe ich meine _Ausbildung_ gemacht.

24 Wörter hören und nachsprechen. Hören Sie zu und sprechen Sie nach. 🔊 2.18

1. zuverlässig – fleißig – ehrlich – geduldig
2. engagiert – teamfähig – flexibel
3. das Praktikum – die Initiativbewerbung – die Zeitarbeitsfirma

1 Ergänzen Sie die Verben.

> einchecken – stehen – ~~fliegen~~ – machen – abfahren – packen – besuchen

1. Herr und Frau Yildirim sind am Flughafen. Sie wollen in ihre Heimat, die Türkei, _fliegen_, denn sie wollen Verwandte _besucht_. Sie _____ bald ____.

2. Familie Severin _____ die Koffer ins Auto. Sie wollen eine Urlaubsreise _____. Sie _____ schon früh ____, denn sie wollen auf der Autobahn nicht im Stau _____.

2 *Nach, aus* oder *in*? Ergänzen Sie die Präpositionen.

1. Herr und Frau Yildirim kommen _____ der Türkei. Sie fliegen heute _____ die Türkei.

2. Familie Severin macht Urlaub _in_ Frankreich. Sie fahren _nach_ Paris. Nächstes Jahr wollen sie aber wieder _nach_ Italien fahren. Sie haben Freunde _in_ Rom.

3a Interviews mit Reisenden. Hören Sie und kreuzen Sie an: Welche Bilder passen? ◀))) 2.19

3b Hören Sie die Interviews noch einmal und beantworten Sie die Fragen. ◀))) 2.19

Interview 1

1. Wie lange hat die Reise gedauert?

   Die Reise hat 4 Tage gedauert.

2. Wer hat die Reise bezahlt?

   Die Eltern haben die Reise bezahlt.

3. Wie war das Hotel?

   gemütlich (comfortable)

Interview 2

4. Seit wann lebt er in Deutschland?

   Seit 12 Jahre.

5. Wen hat er besucht?

   → AKK of "wer"

6. Wie hat ihm die Reise gefallen? to please

4 Wiederholung – Perfekt. Ergänzen Sie die Verben im Perfekt.

Wir waren von Donnerstag bis Sonntag in Berlin. Wir _haben_ in einem Hotel in Kreuz-

berg _gewohnt_ (*wohnen*). Die Reise _____ uns gut _____ (*gefallen*).

Wir _____ den Reichstag und viele Museen _besichtigt_ (*besichtigen*)

und eine Stadtrundfahrt _gemacht_ (*machen*). Am Samstag _sind_ wir nach

Potsdam _gefahren_ (*fahren*). Abends _haben_ wir immer im Restaurant

____gegessen___ (*essen*). Wir _sind_ auch ins Theater _gegangen_ (*gehen*).

5 Meine letzte Reise. Schreiben Sie einen Text in Ihr Heft.

A Reisevorbereitungen

6 Urlaubsfotos. Ergänzen Sie *der, die, das* in den Relativsätzen.

1. Das ist das Restaurant, _das_ auch deutsche Spezialitäten hatte.

2. Das ist der Kellner, _der_ so nett war.

3. Das ist die kleine Pension, _die_ neben der Ferienwohnung war.

4. Das sind die Kinder, _die_ immer vor dem Haus gespielt haben.

5. Das ist das Museum, _das_ so interessant war.

7 Was passt zusammen? Verbinden Sie.

Das ist der Supermarkt, **1** —————— **A** die sehr berühmt ist. *=well-known*

Das sind die Nachbarn, **2** ○ ————— **B** der auch am Mittag geöffnet hatte.

Das ist das Café, **3** ○ **C** das so gemütlich war. *comfortable*

Das ist die Stadt, **4** ○ **D** die so freundlich waren. *like ENG so*

8 Frank und seine Familie sind neu in der Stadt. Schreiben Sie Relativsätze.

1. Frank und seine Frau suchen einen Kindergarten. Der Kindergarten bietet Musikunterricht an.

   Frank und seine Frau suchen einen Kindergarten, _der Musikunterricht_ _anbietet_ .

2. Sie suchen einen Park. Der Park hat einen großen Spielplatz.

   Sie suchen einen Park, _der einen großen Spielplatz hat._ .

3. Frank sucht ein nettes Café. Das Café ist in der Nähe.

   Frank sucht ein nettes Café, _das in der Nähe ist._ .

4. In der Stadt gibt es viele Geschäfte. Die Geschäfte gefallen ihnen. *to please*

   In der Stadt gibt es viele Geschäfte, _die ihnen gefallen._ .

9 Geburtstag. Schreiben Sie Relativsätze.

1. ◖ Was machst du?

    ◖ *Ich telefoniere mit meinem Freund, der Geburtstag hat.*

    (Ich telefoniere mit meinem Freund. Der Freund hat Geburtstag.)

2. ◖ Hast du schon ein Geschenk für ihn?

    ◖ *Ja, ich*

    (Ich schenke ihm ein Buch. Das Buch ist sehr spannend.) *engaging, interessant*

3. ◖ Wie feiert er seinen Geburtstag?

    ◖ *Er macht eine Party, die morgen Abend stattfindet.* *to take place*

    (Er macht eine Party. Die Party findet morgen Abend statt.)

    _____

    (Und heute feiert er mit seinen Eltern. Die Eltern sind bei ihm zu Besuch.)

10 Landeskundequiz. Schreiben Sie Relativsätze.

1. ◖ *Kennst du eine Stadt, die in Österreich liegt.*

    ◖ Ja, zum Beispiel Graz.

    (eine Stadt – kennen / in Österreich liegen)

3. ◖ *Wie heißt der Fluss, der durch Köln fließt*

    ◖ Das ist der Rhein.

    (der Fluss – heißen / durch Köln fließen)

2. ◖ *Kennst du eine Stadt die an der Grenze zu Polen liegt.*

    ◖ Ja, das ist Frankfurt an der Oder.

    (die Stadt – kennen / an der Grenze zu Polen liegen)

4. ◖ *Wie heißt der See, der südlich von München liegt.*

    ◖ Starnberger See.

    (der See – heißen / südlich von München liegen)

11 Einen Flug buchen. Ordnen Sie und schreiben Sie den Dialog.

> Wann wollen Sie fliegen? – Ich möchte am 11.11. in Frankfurt abfliegen und am 17.11. zurückkommen. – Guten Tag, ich möchte einen Flug nach Madrid buchen. – Sehr gern. Sagen Sie mir bitte Ihren Namen. – In dieser Zeit gibt es viele günstige Angebote. Hier ist zum Beispiel ein Flug für 174 Euro. – Das ist gut. Den Flug können Sie für mich buchen.

◄ Guten Tag, ich möchte einen Flug

◄ Wann wollen ...

◄ Ich möchte am 11.11....

◄ In dieser Zeit...

◄ Das ist gut...

◄ Sehr gern...

12 Schreiben Sie einen Dialog.

einen Flug von Basel
nach Berlin buchen

wann?

Hinflug: 17.2.
Rückflug: 28.2.

Angebot: Hinflug und
Rückflug 190 Euro

ja/buchen

◄ Guten Tag, ich möchte ~~einen~~ am 17.2 2. in Berlin abflugen.

◄

◄

◄

◄

13 Schreiben Sie die Sätze mit dem Verb *sollen*.

1. Ich möchte am 31.3. nach Rom fliegen. Der Hinflug soll am 31.3. sein.

   (der Hinflug – am 31.3. – sein)

2. Das Ticket darf nicht so teuer sein. Das Ticket soll nicht so viel kosten.

   (das Ticket – nicht so viel – kosten)

3. Wir wollen in Hamburg abfliegen. Der Abflugort sollen Hamburg sein.

   (der Abflugort – Hamburg – sein)

4. Ich möchte schnell nach Spanien kommen. Die reise soll nicht so lange dauern

   (die Reise – nicht so lange – dauern)

Ringl obj

14 Herr Helms hat seine Wohnung nicht aufgeräumt. Jetzt findet er seine (Sachen) nicht. Schreiben Sie Relativsätze.

1. Ich trage die Jacke immer im Garten.

   Wo ist die Jacke, *die ich immer im Garten trage?*

2. Ich habe den Schlüssel auf den Tisch gelegt.

   Wo ist der Schlüssel, *den ich auf dem Tisch gelegt. habe(?)*

3. Ich habe das Paket gestern bekommen.

   Wo ist das Paket, *das ich gestern bekommen haben*

4. Ich will die Blumen meiner Freundin schenken.

   Wo sind die Blumen, _____

5. Ich lese das Buch abends im Bett.

   Wo ist das Buch, *das ich abends im Bett lese.*

6. Ich muss den Brief morgen zur Post bringen.

   Wo ist der Brief, *den ich morgen zur Post bringen muss.*

15 Ergänzen Sie *den, das* oder *die* in den Relativsätzen.

1. Sie findet die Arbeit langweilig.

   Petra hat eine Arbeit, **die** sie langweilig findet.

2. Sie mag den Chef nicht.

   Sie hat einen Chef, *den* sie nicht mag.

3. Sie findet das Büro nicht schön.

   Sie sitzt in einem Büro, *das* sie nicht schön findet.

4. Sie kennt die Kollegin schon lange.

   In dem Büro sitzt auch eine Kollegin, *die* sie schon lange kennt.

16 Im Kaufhaus. Ordnen Sie zu und schreiben Sie Relativsätze.

> Die Reisetasche hat viele Fächer. – Ihr Mann findet das Kleid hässlich. – Er will den Ring seiner Frau schenken. – Der Pullover ist warm. – Er kann die Geschenke in seine Heimat mitnehmen.

1. Herr Matthei sucht eine Reisetasche, *die viele Fächer hat.*
2. Frau Ivanova sucht einen Pullover, *der warm ist*
3. Frau Marini gefällt ein Kleid, *das Ihr Mann hässlich findet.*
4. Herr Gonzales sucht Geschenke, *die in seine Heimat er mitnehmen kann.*
5. Herr Bloch kauft einen Ring, *den er seiner Frau schenken will.*

modal verb on end

B Dialoge auf der Reise

17 Reisewörter. Was passt? Ergänzen Sie.

> Pannen – ~~Auto~~ – Notruf – Notruf – Wagen – Platz
> ~~panne~~ – zentrale – säule – nummer – dienst – reservierung

1. Wenn man auf der Autobahn eine _*Autopanne*_ hat, kann man mit dem Handy oder

   an einer ___Notrufsäule___ die ___Notrufzentrale___ anrufen, die

   dann den ___Pannendienst___ schickt.

2. Bei Reisen mit dem ICE sollte man eine ___Platzreservierung___ haben. Der Sitzplatz

   und die _____ stehen auf der Reservierung oder der Fahrkarte.

18 Platzreservierung. Ergänzen Sie den Dialog.

> Oh, entschuldigen Sie bitte! – Nein, ich habe diesen Platz reserviert. Hier steht es: Platz 31 in
> Wagen 12. – Darf ich Sie kurz stören? Ich glaube, Sie sitzen auf meinem Platz.

◖ _____

◖ Das ist nicht möglich. Ich habe für diesen Platz eine Reservierung.

◖ _____

  _____

◖ Sagen Sie Wagen 12? Wir sind aber in Wagen 11!

◖ _____

◖ Das macht nichts. Mir ist das auch schon passiert.

19 Textkaraoke. Hören Sie und sprechen Sie die ☺-Rolle im Dialog. 📞))) 2.20

🔊 ...

☺ Guten Tag, mein Name ist ... Ich habe eine
   Autopanne.

🔊 ...

☺ Ich bin auf der A5. Auf der Notrufsäule steht
   Kilometer 228.

🔊 ...

☺ Es steht direkt neben der Notrufsäule.

🔊 ...

C Reiseplanung

20 Die Stadt Hamburg. Ordnen Sie den Text.

(2) in Norddeutschland. Die Stadt bietet *offer* für Touristen

(7) Sie ist das Wahrzeichen von Hamburg.

(1) Hamburg ist die größte Stadt

(4) oder eine Hafenrundfahrt machen, in der Innenstadt

(6) trinken. Berühmt ist die St. Michaelis-Kirche.

(3) viele Möglichkeiten. Man kann eine Stadtrundfahrt *s. giseeing towr*

(5) einkaufen oder an der Alster Kaffee

21 Über etwas diskutieren. Was passt? Ordnen Sie zu.

> Ich schlage vor, ... – Das finde ich gut. – Das gefällt mir nicht. – Das ist eine gute Idee! –
> Ja, so machen wir es. – Ich möchte aber lieber ... – Wir sollten ... – Es ist besser, wenn wir ...

einen Vorschlag machen	zustimmen ☺ *agree*	ablehnen ☹ *disagree*
Ich schlage vor	Das ist gute Idee	Es ist besser, wenn wir
	Das finde ichh gut	

22 Eine Reise planen. Hören Sie und kreuzen Sie an: Welche Antwort passt? 🔊 **2.21**

1. O **A** Wir sollten lieber mit dem Auto fahren.
   O **B** Der Zug fährt heute.
   O **C** Wir haben keine Fahrkarten.

2. O **A** Das dauert drei Tage.
   O **B** Ich schlage vor, wir fahren drei Tage weg.
   O **C** Ich brauche nur drei Tage.

3. O **A** Das ist in Norddeutschland.
   O **B** Borkum ist eine Insel.
   ⊠ **C** Ich möchte aber lieber an den Bodensee.

4. ⊠ **A** Das finde ich gut.
   O **B** Nein, das kann ich nicht.
   O **C** Ich möchte lieber in ein Hotel.

23 Flüssig sprechen. Hören Sie zu und sprechen Sie nach. 🔊 **2.22**

1. buchen. – einen Flug buchen. – Ich möchte einen Flug buchen.
2. Angebot? – ein günstiges Angebot? – Haben Sie ein günstiges Angebot?
3. am 16. März sein. – soll am 16. März sein. – Der Rückflug soll am 16. März sein.

24a Sehen Sie sich die Internetseite an. Was findet man wo? Ordnen Sie zu.

1. Hier findet man Informationen über Fahrpläne und die Buchung.
2. Hier gibt es Beratung über Angebote.
3. Hier kann man das „Schönes-Wochenende-Ticket" online kaufen.
4. Hier gibt es Tipps über Reisen und Infos über Städte.
5. Hier gibt es Fahrkarten für Reisen in verschiedenen Regionen in Deutschland.

24b Lesen Sie den Text und beantworten Sie die Fragen.

1. Wie viele Personen können mit dem „Schönes-Wochenende-Ticket" fahren?

   bis fünf Personen

2. Wie lange ist das Ticket gültig?

   Das Ticket is einen Tag gültig

3. Welche Züge kann man benutzen?

   Man kann S-Bahn, RB, IRE und RE benutzen.

Wichtige Wörter

Geschäftsreise, die, -n _____

Urlaubsreise, die, -n _____

eine Reise machen _____

Stau, der, -s _traffic-jam_

im Stau stehen _stuck in ..._

ein|checken _check-in_

Flug, der, "-e _a flight_

Reisende, der/die, -n _passanger_

A Reisevorbereitung, die, -en _travel preprations_ ✓

1b Museum, das, Museen _____

2 Ferienwohnung, die, -en _holiday accomodation_ (not hotel) ✓

3a Halbpension, die _____

geeignet sein _be suitable_

für Kinder geeignet sein _____

4 ab|fliegen, er ist abgeflogen _to take off_

Visum, das, Visa _____

buchen _to book_

Abflugort, der, -e _____

5 Rückflug, der, "-e _return flight_

Hinflug, der, "-e _____

Reisezeit, die, -en _____

Flugticket, das, -s _____

6a Brieftasche, die, -n _wallet_

Rucksack, der, "-e _____

Handtuch, das, "-er ~~tent~~ _towel_

Badesachen, die, Pl. _____

7a auf|laden, er lädt auf, er hat aufgeladen _to charge [device]_

das Handy aufladen _____

7b Wanderung, die, -en _hike_

B
1b Autounfall, der, "-e _car accident_

Notrufsäule, die, -n _column_

Notrufzentrale, die, -n _____

Pannendienst, der, -e _breakdown service_

2a Autopanne, die, -n _car ..._

Kilometer, der, - _____

Wagen, der, - _car_

Das macht nichts! _It doesn't matter_

2b Platzreservierung, die, -en _____

besetzt sein _occupied_

C Reiseplanung, die _____

1a Rad, das, "-er _____

2a Ausweis, der, -e _ID card_

Landkarte, die, -n _____

Schlafsack, der, "-e _sleeping bag_

Reiseführer, der, - _travel guide_ ~~...~~

Regensachen, die, Pl. _____

Radtour, die, -en _____

Zelt, das, -e _tent_

2b Unterkunft, die, "-e _accomodation_

Vorschlag, der, "-e _suggestion_

einen Vorschlag machen _____

vor|schlagen, er schlägt vor, er hat vorgeschlagen _to suggest_ zu|stimmen   _agree_

ab|lehnen   _disagree_

Wörter lernen

25 Was passt zusammen? Verbinden Sie.

reisen **1**   **A** die Buchung
buchen **2**   **B** der Flug
reservieren **3**   **C** die Reise
vorschlagen **4**   **D** die Reservierung
fliegen **5**   **E** der Vorschlag

propose, suggest

26 Welches Wort passt nicht? Streichen Sie durch.

1. ~~das Flugticket~~ – das Visum – der Pass – der Ausweis
2. die Ferienwohnung – das Museum – das Hotel – ~~die Pension~~
3. der Pannendienst – ~~die Fahrkarte~~ – die Notrufsäule – die Autopanne
4. der Hinflug – der Rückflug – der Abflug – ~~der Bahnhof~~

27a Was braucht man für die Reise? Finden Sie sechs Wörter.

die Spalte

G	B	O	L	A	N	D	K	A	R	T	E	S
A	U	D	O	H	Z	J	K	N	U	M	M	E
Ä	W	R	E	G	E	N	S	A	C	H	E	N
L	V	S	C	H	L	S	A	X	K	Ü	B	R
T	Z	M	E	I	T	E	Q	Y	S	U	N	O
B	E	Ö	K	O	F	F	E	R	A	U	S	V
I	N	B	H	Q	P	O	M	G	C	D	S	T
S	C	H	L	A	F	S	A	C	K	Ö	J	Z

die Zeile

1. die _Regensachen_
2. die _Landkarte_
3. der **Koffer**
4. der _Schlafsack_
5. das _Zelt_
6. der _Rucksack_

27b Tipps für Radtouren. Ergänzen Sie die Wörter aus 27a.

Ein _Rucksack_ ist praktischer als ein **Koffer**. Wenn man ohne Probleme den richtigen Weg finden will, sollte man eine _Landkarte_ mitnehmen. Wenn es regnet, sind _Regensachen_ gut. Wollen Sie in einem _Schlafsacke_ übernachten? Dann brauchen Sie auch einen _Zelt_ .

28 Wörter hören und nachsprechen. Hören Sie zu und sprechen Sie nach. 2.23

1. der Autounfall – die Notrufzentrale – der Pannendienst
2. besetzt – geeignet – für Kinder geeignet
3. einchecken – die Halbpension – die Radtour

1a Lesen Sie und ergänzen Sie.

Ich kann auf Deutsch

✔ ○

1. sagen, wozu ich etwas mache ○ ○

für what *infinitive w/ modal verb*

1. Ich mache Sport, _damit ich gesund bleibe_ ✔
2. Ich mache den Deutschkurs, _damit ich gut Deutsch sprechen kann._
3. Ich höre jeden Morgen Radio, _damit die Nachrichten weiß._

2. mich telefonisch für einen Kurs anmelden ○ ○

> anmelden – interessiere – ~~ist~~ – beginnen – ~~kostet~~ – Anmeldung

◀ Guten Tag, mein Name ist _____ . Ich _interessiere_ mich für

einen Computerkurs. Wann _ist_ der nächste Termin?

◀ Die nächsten Kurse _beginnen_ Anfang Mai.

◀ Was _kostet_ ein Kurs und wie kann ich mich _anmelden_ ?

◀ Der Preis ist 135 Euro. Im Internet gibt es ein Formular für die _Anmeldung_ .

3. Ratschläge geben ○ ○

◀ Meine Frau arbeitet zu viel.

◀ _Sie sollte mehr Sport machen._

◀ Ich kann nicht einschlafen.

◀ Du _solltest ein Tee trinken._

◀ Ich suche Arbeit.

◀ _____

4. nach Informationen über ein Medikament fragen ○ ○

◀ _Wie oft muss ich die Tabletten nehmen?_ (Wie oft?)
◀ Dreimal am Tag.
◀ _Welche Nebenwirkungen haben die Tabletten?_ (Welche Nebenwirkungen?)
◀ Manchmal sind Kopfschmerzen möglich.
◀ _Wie lange sollte ich die Tabletten nehmen?_ (Wie lange?)
◀ Eine Woche.

5. nach Informationen über einen Arbeitsplatz am Telefon fragen   ○   ○

◀ Guten Tag, ich habe Ihre _Stellenanzeigen gelesen._   (Ihre Stellenanzeige lesen,

Ist die Stelle noch frei?   noch frei?)

◀ Ja, sie ist noch frei.

◀ _Wie sind die Arbeitszeiten?_   (Arbeitszeiten?)

◀ Sie arbeiten montags bis freitags von 7 bis 15 Uhr.

◀ _____   (einen festen Stundenlohn

◀ Das können wir hier in der Firma besprechen.   bekommen?)

(handwritten margin note: "wie" instead of "was" is not a rule of just have to remember the expr)

6. meinen Lebenslauf schreiben   ○   ○

Lebenslauf

Schulbildung

_____   _____

_____   _____

Berufsausbildung

_____   _____

_____   _____

Berufserfahrung

_____   _____

_____   _____

Kenntnisse

(handwritten notes: ich will liebe = = (I would love to: ich würde liebe = ich möchte liebe)

7. mit anderen eine Reise planen   *vorschlagen = propose*   ○   ○

◀ Ich schlage vor, dass wir nach Potsdam fahren.

☺   ☹

◀ _Das finde ich eine gute Idee._   _Das find ich nicht so gut._

◀ Fahren wir mit der S-Bahn?

☺   ☹

◀ _____   _____

1b   Kontrollieren Sie mit den Lösungen und besprechen Sie Ihre Antworten im Kurs. Markieren Sie ✔ für *kann ich* und ○ für *kann ich nicht so gut*.

Prüfungsvorbereitung DTZ: Lesen und Schreiben

Lesen

Teil 5 Lesen Sie den Text und schließen Sie die Lücken 1–6. Welche Lösung (A, B oder C) passt am besten? Markieren Sie Ihre Lösungen für die Aufgaben 1–6 auf dem Anwortbogen (s. Einleger, S. 30).

Alfred Mecker · Situlistr. 11 · 80967 München

Reisebüro Antes
Karlstraße 71
80333 München

München, den 15. 6. 20...

Türkei-Urlaub vom 1. bis 14. 6. 20...

Sehr geehrte Damen und Herren,

__0__ März habe ich bei Ihnen eine Urlaubsreise __1__ Antalya gebucht.
Ich bin gestern aus dem Urlaub zurückgekommen und ich bin leider nicht zufrieden.
In __2__ Katalog haben Sie geschrieben, dass das Hotel sehr ruhig __3__, aber das ist falsch. Nachts war es __4__ laut, denn neben dem Hotel ist eine Diskothek.
Wir __5__ nicht schlafen. Auf dem Hinflug hatten wir sieben Stunden Verspätung __6__ auf dem Rückflug waren es fünf Stunden. Unseren nächsten Urlaub buchen wir bestimmt nicht wieder bei Ihnen.

Mit freundlichen Grüßen

Alfred Mecker

Beispiel:

0   A   um
    B   im
    C   am

○ ● ○
A B C

1   A   nach
    B   zu
    C   aus

2   A   Ihrem
    B   deinem
    C   ihrem

3   A   sein
    B   sind
    C   ist

4   A   nicht
    B   sehr
    C   mehr

5   A   wollten
    B   konnten
    C   durften

6   A   weil
    B   ob
    C   und

Wählen Sie Aufgabe A oder Aufgabe B. Zeigen Sie, was Sie können. Schreiben Sie möglichst viel. Schreiben Sie Ihren Text auf den Antwortbogen (s. Einleger, S. 31).

Aufgabe A

(handschriftlich: point)
(handschriftlich: 1-3 paragraphs)

Sie wollen Ihre Wohnung streichen *(handschriftlich: paint)*. Ihr Freund Martin soll Ihnen helfen.
Schreiben Sie Ihrem Freund eine E-Mail und bitten Sie ihn um Hilfe.

Schreiben Sie etwas zu folgenden Punkten:

- Grund für Ihre E-Mail
- Termin
- Welche Zimmer?

(handschriftlich: choose either)

Aufgabe B

Sie wollen mit einem Kollegen / einer Kollegin zusammen Deutsch lernen.
Schreiben Sie ihm/ihr eine kurze Nachricht.

Schreiben Sie etwas zu folgenden Punkten:

- Grund für Ihr Schreiben
- Vorschlag für einen Termin
- Vorschlag für einen Treffpunkt

1a Ordnen Sie die Adjektive den Fotos zu.

> traurig – fröhlich – ernst – neugierig

1. _ernst_
2. _traurig_
3. _fröhlich_
4. _neugierig_

1b Ergänzen Sie die Verben.

> sich unterhalten – feiern – sich umarmen – lachen – lächeln

1. Wann hast du Geburtstag? – Am nächsten Donnerstag, aber ich _____ erst
   am Samstag.   *= only*

2. Kommst du mit ins Café? Dann trinken wir etwas und _unterhalten_ uns _____ ein
   bisschen.   *talk*

3. Der Film ist sehr lustig und alle Leute _____ laut.

4. Die Kellnerin ist sehr hilfsbereit und _____ sehr freundlich.

5. In Deutschland _____ _____ Männer selten.   *rarely*

2 Gegenteile. Ordnen Sie zu.

> gut – gemeinsam – unsympathisch – leise – traurig – ungemütlich – ernst – fremd

1. fröhlich   _ernst_
2. allein   _gemeinsam_
3. nett   _unsympathisch_
4. bekannt   _fremd_

5. schlecht   _gut_   *comfortable*
6. gemütlich   _ungemütlich_
7. laut   _leise_ *quiet*
8. lustig   _traurig_ *cheerful*

3 Auf dem Land und in der Stadt. Lesen Sie und kreuzen Sie an: richtig oder falsch?

Wiktor Fomin

Ich wohne in einer Großstadt und ich habe viel Kontakt mit anderen Leuten. Meine Nachbarn
kenne ich aber nicht so gut. Wir sagen „Guten Tag", wenn wir uns sehen. Aber ich weiß nicht, was
sie machen. Meine Freunde sind Kollegen von der Arbeit, andere Eltern, die wir vom Kindergarten
kennen, und Freunde, die ich von früher kenne. Wir machen oft etwas zusammen.

	R	F
1. Wiktor Fomin wohnt in der Stadt.	◉	○
2. Er kennt seine Nachbarn gut.	○	◉
3. Er unternimmt oft etwas mit seinen Arbeitskollegen.	◉	○

Mauricio Schwarze

Ich bin vor zwei Jahren in ein Dorf umgezogen. Es ist schön hier, aber es gibt auch ein Problem: Alle anderen kennen sich gut. Sie sind schon als Kinder zusammen zur Schule gegangen. Sie machen alles gemeinsam. Ich weiß noch nicht, wie ich hier Leute kennenlernen kann. Im Moment habe ich nur Kontakt zu Leuten, die auch neu hier sind.

	R	F
1. Mauricio Schwarze wohnt auf dem Land.	◉	○
2. Er ist früher in dem Dorf in die Schule gegangen.	○	○
3. Er will keine neuen Leute kennenlernen.	○	◉

A Das Nachbarschaftshaus

4 Im Nachbarschaftshaus. Was passt? Verbinden Sie und schreiben Sie Sätze in Ihr Heft.

Das Nachbarschaftshaus:

Hausaufgabenhilfe 1   A helfen
bei Problemen 2   B einladen
Kurse 3   C organisieren
zu einem Fest 4   D anbieten

> 1. Das Nachbarschaftshaus organisiert Hausaufgabenhilfe.

Die Besucher: — visitor/guest

Informationen 1   A lassen
Leute 2   B engagieren
sich beraten 3   C machen
Kurse 4   D kennenlernen
sich sozial 5   E bekommen

to advise

> 1. Die Besucher bekommen im Nachbarschaftshaus Informationen.

5 Wiederholung – Verben. Ergänzen Sie die Verben in der richtigen Form.

1. Er _geht_ zum Nachbarschaftshaus und _lässt_ sich beraten. *(gehen / lassen)*

2. Er _bekommt_ viele Informationen über das Kursangebot. *(bekommen)*

3. Das Nachbarschaftshaus _bietet_ viele Kurse _an_ . *(anbieten)* to offer

4. Vielleicht _besucht_ er einen Deutschkurs. *(besuchen)*

5. Sein Sohn _____ einen Hip-Hop-Kurs machen. *(wollen)*

6. Die Eltern _____ einverstanden, aber sie _wollen_ auch, *(sein / wollen)*

dass er an der Hausaufgabenhilfe teilnimmt.

6 Kreuzworträtsel. Ergänzen Sie.

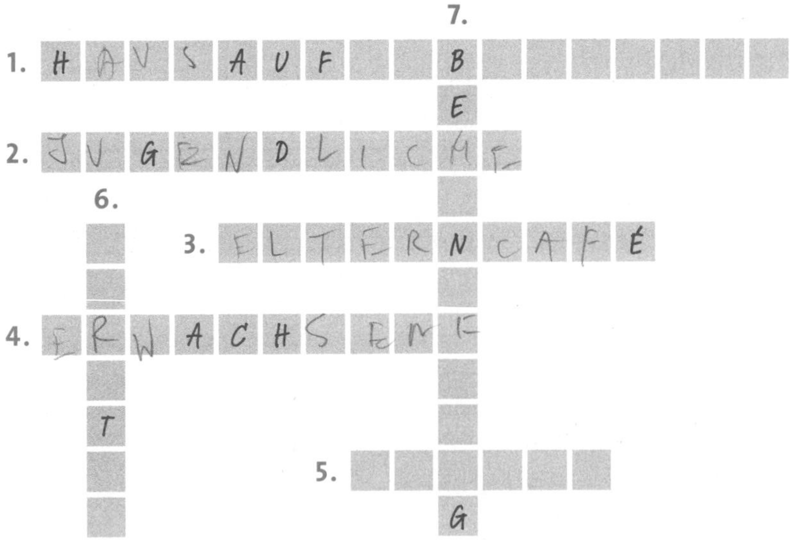
7.
1. HAUSAUF B
E
2. JUGENDLICHE
6.
3. ELTERNCAFÉ
4. ERWACHSENE
T
5.
G

1. Schüler können nachmittags im Nachbarschaftshaus für die Schule lernen. Sie gehen zur ...
2. Menschen zwischen 13 und 18 Jahren sind ...
3. In einem ... können sich Eltern treffen, einen Kaffee trinken und sich unterhalten.
4. Menschen, die 18 Jahre und älter sind, sind ...
5. Menschen unter 13 Jahren sind ...
6. Ich habe ein Problem und brauche Hilfe. Ich lasse mich ... beraten
7. Wenn man nicht laufen kann, dann hat man eine ...

B Vereine

7a Hören Sie und kreuzen Sie an: Welche Fotos passen? 2.24

turnen = to perform

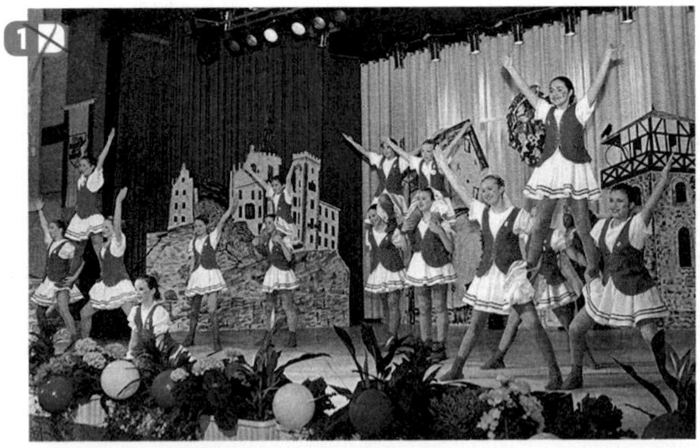
1

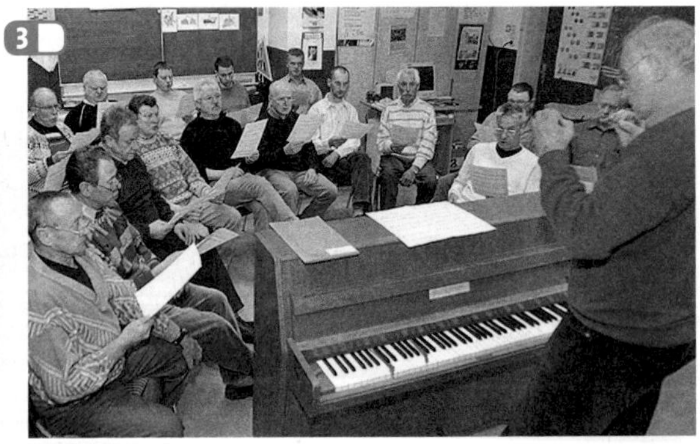
3

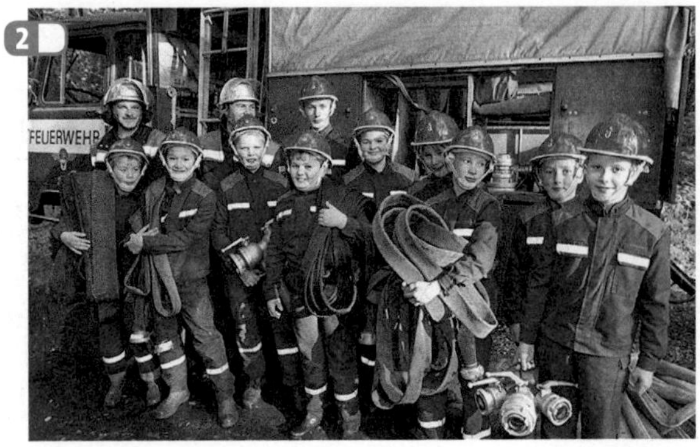
2
FEUERWEHR

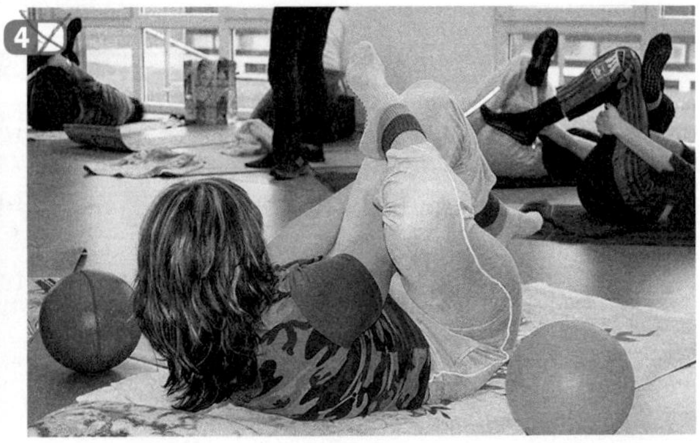
4

7b Hören Sie noch einmal und kreuzen Sie an: richtig oder falsch? ◀))) 2.24

	R	F
1. Der Verein von Herrn Meier trifft sich nur im Januar und Februar.	○	●
2. In seinem Verein gibt es viele Tanzgruppen für Mädchen.	●	○
3. Das große Fest für den Verein ist meistens im Februar.	●	○
4. Frau Kandinsky kennt alle Vereinsmitglieder.	○	●
5. Frau Kandinsky macht Sport, damit sie keine Rückenschmerzen hat.	●	○
6. In der Gruppe von Frau Kandinsky sind Männer und Frauen.	○	●

8a Wiederholung – Zahlen. Ordnen Sie zu und lesen Sie die Zahlen laut.

> hunderttausend – zehn – eine Million – eintausend – hundert Millionen – zehntausend –
> zehn Millionen – eine Milliarde – einhundert

1. 10   _zehn_
2. 100   _einhundert_
3. 1000   _eintausend_
4. 10 000   _zehntausend_
5. 100 000   _hundredta_

6. 1 000 000   _eine Million_
7. 10 000 000
8. 100 000 000
9. 1 000 000 000

8b Hören Sie und kreuzen Sie an: Welche Zahl hören Sie? ◀))) 2.25

1. Deutschland hat ungefähr ● 82 000 000 ○ 28 000 000 Einwohner.

2. Die Fußballvereine in Deutschland haben ungefähr ○ 680 000 ● 6 800 000 Mitglieder.
   Mehr als ○ 100 000 ● 1 000 000 Mädchen und Frauen sind Mitglied in einem Fußballverein.

3. Berlin hat mehr als ● 3 400 000 ○ 2 400 000 Einwohner.
   ○ 360 000 ○ 260 000 Menschen kommen jeden Tag zur Arbeit nach Berlin. _der Pendler = commuter_
   ● 500 000 ○ 55 000 Touristen kommen jeden Monat nach Berlin.

9 Wiederholung – Relativsätze. Ergänzen Sie die Relativpronomen.

> die – das – die – der

1. Menschen, _die_ in einem Verein sind, können leicht Leute kennenlernen. _easy_

2. Es gibt viele Vereine, _____ sehr aktiv sind.

3. In jedem Verein muss man einen Mitgliedsbeitrag zahlen, _____ meistens nicht so hoch ist.

4. Das Vereinsfest, _das_ jedes Jahr im Sommer stattfindet, macht uns viel Spaß. _which_

10 Ergänzen Sie die Relativpronomen mit den Präpositionen.

> mit dem – in dem – ohne die – zu dem

1. Das ist mein Freund, _mit dem_ ich zusammen im Fußballverein bin.

2. Das Fußballspiel, _zu dem_ wir gehen wollten, fällt leider aus. ⟵ cancelled

3. Ich möchte in einen Verein gehen, _in dem_ ich Musik machen kann.

4. Jazzmusik ist die Musik, _ohne die_ ich nicht leben kann.

11a Was passt zusammen? Verbinden Sie.

Die alte Frau ist meine Nachbarin, **1**   **A** mit der ich in den Urlaub fahre.

Das ist meine Freundin, **2**   **B** für die ich manchmal einkaufe.

Das ist der Bus, **3**   **C** auf dem wir jeden Samstag einkaufen.

Das ist der Markt, **4**   **D** mit dem ich zur Arbeit fahre.

11b Schreiben Sie Sätze wie im Beispiel in Ihr Heft.

> *1. Die alte Frau ist meine Nachbarin. Ich kaufe manchmal für die Nachbarin ein.*

12 Relativsätze mit Präpositionen. Schreiben Sie Sätze wie im Beispiel.

1. Die Firma, für die ich arbeite, ist in Offenbach.

   Ich arbeite für die Firma. Die Firma ist in Offenbach.

2. Die Kollegen, mit denen ich arbeite, sind sehr nett.

   Meine Kollegen sind sehr nett. Ich arbeite mit ihnen.

3. Die Kantine, in der ich zu Mittag esse, hat auch eine Terrasse. _esse dort zu Mittag_

   Die Kantine hat auch eine Terrasse. Ich ~~esse Mittaggessen dort~~.

4. Die Besprechung, zu der auch Kollegen aus Hamburg kommen, findet am Freitag statt. _instead_

   meeting

13 Mitglied in Vereinen sein. Lesen Sie und ergänzen Sie die Sätze.

Heide Jordan

Ich bin Mitglied im Tischtennisverein. Ich habe mit 13 Jahren angefangen, weil meine Freundin Tischtennis spielen wollte. Wir haben dann viele Jahre zusammen gespielt. Jetzt habe ich nicht mehr so viel Zeit. Aber ich habe viele Freunde im Verein, deshalb bleibe ich Mitglied. Manchmal spiele ich noch ein bisschen Tischtennis und ich gehe natürlich zum Vereinsfest. _began_

1. Heide Jordan war als Jugendliche im Tischtennisverein, weil _____

2. Sie spielt jetzt nicht mehr so viel, weil _sie ~~es hat~~ nicht so viel Zeit hat._ _mehr_

3. Sie bleibt im Verein, weil _~~er hat schon viele Freunde im Verein.~~_ _sie in Verein viele Freunden hat._

Nadja Struk

Ich bin in zwei Vereinen. Ich bin im Theaterverein. Ich mag Theater sehr gern und hier gibt es eine gute Gruppe. Sie spielen jedes Jahr in unserem alten Kino ein neues Theaterstück. Dieses Jahr spielen sie ein Musical. Ich habe für die Theaterproben leider keine Zeit, aber die Gruppe braucht mich, denn ich kann Klavier spielen. Ich mache die Musik für das Theater.
Ich bin auch noch im Sportverein. Ich muss fit bleiben und spiele jede Woche Badminton.

1. Nadja Struk ist im Theaterverein, weil *sie Theater sehr gern mag.*

2. Die Theatergruppe braucht sie, weil *sie Klavier spielen kann.*

3. Sie ist auch im Sportverein, weil *sie fit bleiben muss.*

14a Was passt? Schreiben Sie Wörter und ergänzen Sie den Artikel.

| Musik- – -mitglied – Karnevals- – Fußball- – -beitrag – Sport- – -fest – -haus |

der Sportverein *das Vereinshaus*

-verein **Vereins-**

der Mus… *der Karn…* *das Vereinsmitglied* *der Vereins-beitrag*

14b Was ist …? Schreiben Sie Relativsätze.

1. Was ist ein Sportverein? (Man macht Sport **in dem** Verein.)

   Ein Sportverein ist ein Verein, *in dem **man Sport macht.***

2. Was ist ein Theaterverein? (Man spielt Theater **in dem** Verein.)

   Ein Theaterverein ist ein Verein, *in dem man Theater spielt.*

3. Was ist ein Vereinshaus? (**Das** Haus gehört dem Verein.)

   Ein Vereinshaus ist ein Haus, *das dem Verein gehört*

4. Was ist ein Vereinsfest? (Der Verein organisiert **das** Fest.)

   Ein Vereinsfest ist ein Fest, *das der Verein organisiert*

15 Sind Sie Mitglied in einem Verein? Möchten Sie Mitglied werden? Schreiben Sie fünf Sätze über sich und Ihre Familie.

Ich bin nicht in eine Verein.

C   Telefonieren

16   Telefonanrufe. Ergänzen Sie die Sätze.   *to dial*   *occupied*

| verbinden – Durchwahl – verwählt – zuständig – besetzt |

1. ◖ Guten Tag, Strotmann. Ich möchte mit Frau Spies sprechen.

   ◖ Tut mir leid, Sie haben sich ___verwählt___ . Hier wohnt keine Frau Spies.

   ◖ Oh, Entschuldigung.

2. ◖ Strotmann. Ich möchte mit Frau Spies sprechen. Können Sie mich bitte ___verbinden___ ?

   ◖ Einen Moment, bitte … Tut mir leid, bei Frau Spies ist ___besetzt___ .

   ◖ Können Sie mir bitte die ___Durchwahl___ geben?

   ◖ Gern, das ist die 335.

3. ◖ Spies.

   ◖ Guten Tag, mein Name ist Strotmann. Ich habe eine Frage zum Kindergeld.

   ◖ Für das Kindergeld bin ich nicht ___zuständig___ . Rufen Sie bitte Frau Özdogan an.

17   Was passt zusammen? Verbinden Sie.   *interruption*   *it happens*

Entschuldigen Sie bitte die Störung. **1** ○——○ **A** Gern geschehen.

Auf Wiederhören! **2** ○   ○ **B** Ja, bitte.

Vielen Dank. **3** ○   ○ **C** Keine Ursache.

Ich kann Ihnen die Durchwahl geben. **4** ○   ○ **D** Auf Wiederhören.

18   Textkaraoke. Hören, lesen und sprechen Sie die �-Rolle im Dialog.   ▶)) 2.26

   ⊙ …

   ◔ Guten Tag, mein Name ist … Ich möchte bitte mit Frau Steiner sprechen.

   ⊙ …

   ◔ Guten Tag, mein Name ist … Können Sie mir sagen, was ein Stand auf dem Straßenfest kostet?

   ⊙ …

   ◔ Können Sie mich mit ihr verbinden?

   ⊙ …

   ◔ Können Sie mir die Durchwahl geben?

   ⊙ …

   ◔ 255, vielen Dank, auf Wiederhören.

   ⊙ …

19   Flüssig sprechen. Hören Sie zu und sprechen Sie nach.   ▶)) 2.27

1. in denen viele Menschen aktiv sind. – Vereine, in denen viele Menschen aktiv sind. – Es gibt über eine halbe Million Vereine, in denen viele Menschen aktiv sind.

2. zu dem viele Leute kommen. – ein Fest, zu dem viele Leute kommen. – Der Verein organisiert ein Fest, zu dem viele Leute kommen.

20a   Lesen Sie und füllen Sie das Formular aus.

Elias Verne spielt Trompete und möchte gern mit anderen zusammen spielen. Er möchte Mitglied im Musikverein werden. Er kann noch nicht so gut Deutsch.

Elias Verne ist am 23. Mai 1979 geboren. Er wohnt in 01561 Tauscha, in der Hauptstraße 14. Er hat ein Konto bei der Volksbank. Die Bankleitzahl ist 501 340 40, seine Kontonummer 4300539857.

Beitrittserklärung

☒ Ja, ich werde Mitglied beim Musikverein Tauscha 1980 e. V.

Name: _Elias Verne_

Geburtsdatum: _23. Mai 1979_

Straße: _Hauptstraße 14_

PLZ, Ort: _01561, Tauscha_

☒ aktives Mitglied, Instrument: _Trompete_
O passives Mitglied

each / every time

Kündigung ist ohne Kündigungsfrist zum jeweiligen Kalenderjahresende möglich.

Einzugsermächtigung:

Der Jahresbeitrag beträgt derzeit Euro 24,– pro Kalenderjahr.

Mit dem Lastschrifteinzug des Jahresbeitrages bin ich einverstanden:

Bank: _____   BLZ: _____

Konto-Nr. _____

Datum, Unterschrift: _3. 9. 2010,_   _Elias Verne_

20b   Lesen Sie noch einmal und beantworten Sie die Fragen.

1.   Wie viel muss Herr Verne pro Monat bezahlen? _Er muss €2 pro Monat bezahlen._

2.   Ist Herr Verne ein aktives oder ein passives Mitglied? _Er ist ein aktives Mitglied._

3.   Wenn Herr Verne heute kündigt, wann endet der Vertrag? _____

Wichtige Wörter

lächeln	to smile
lachen	to laugh
sich umarmen	to hug
einsam	lonely ✓
ernst	
froh	happy = glücklich
fröhlich	=
gemeinsam	zusammen
gemütlich	comfatable
lustig	
neugierig	curious
traurig	
Stimmung, die	mood

pronounced = -ich = Hochdeutsch

A

Nachbarschaftshaus, das, "-er	neighbour's house ✓
1a sich engagieren	to engage
organisieren	
sich beraten lassen	
sozial	social
Hausaufgabenhilfe, die, -n	homeworke helper
Behinderung, die, -en	
Menschen mit und ohne Behinderung	
2a Beratung, die	advice
Elterncafé, das, -s	
3b ehrenamtlich	voluntary
4a freiwillig	- ✓

B

1b Million, die, -en	
über eine Million	

besonders	especially
Sportverein, der, -e	sports club
fast	
fast sieben Millionen	
Mitglied, das, -er	member
Mitglied in ... werden	I was a member of...
Mitglied in ... sein	
Beispiel, das, -e	
ein Beispiel für ... sein	
Freundschaftsverein, der, -e	
Veranstaltung, die, -en	event
Mitgliedsbeitrag, der, "-e	membership fee
unterschiedlich	different = anders

C

1a Telefonzentrale, die, -n	
verbinden, er hat verbunden	
falsch verbunden sein	
Durchwahl, die, -en	extension number
zuständig	responsible
sich verwählen	
Störung, die, -en	interruption
Keine Ursache!	= keine Problem
zurzeit	= jetzt
belegt sein	occupied (full)
2 sich um|melden	

3 Sachbearbeiter/in, _____   vor|legen, er legt vor
der/die, -/-nen   _~to present~_

Strafe, die, -n   ~~a~~ *a fine (fee)*   _____

eine Strafe zahlen _____   _____

Schalter, der, - *(light) switch*   _____

Wörter lernen

21 Welche Wörter passen? Ergänzen Sie.

die Durchwahl

club

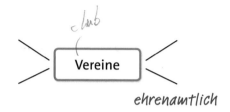

ehrenamtlich

22 Was passt zusammen? Verbinden Sie.

eine Strafe   **1** ○   ○ **A** entschuldigen
die Durchwahl   **2** ○   ○ **B** sein
die Störung   **3** ○   ○ **C** geben
Mitglied   **4** ○   ○ **D** zahlen
eine Veranstaltung **5** ○   ○ **E** organisieren

23 Was ist das? Finden Sie lange Wörter und ergänzen Sie die Sätze.

> ~~Mit~~ – Sach – Sach – Haus – Te
> ~~glieds~~ – ar – ar – auf – be – be – ~~bei~~ – bei – bei – ben – fe – fon – ga – hil – le – le –
> rin – te – ter – tra – trag – zen

1. Das muss man bezahlen, wenn man in einem Verein ist: der ___*Mitgliedsbei*___ .

2. Eine Person, die in einer Behörde oder einer Firma arbeitet:

der _____ _____ /die _____ _____ .

3. Wenn Kinder in der Schule etwas nicht verstanden haben, können sie zur

_____ _____ _____ _____ _____ gehen.

4. Wenn man bei einer Behörde anruft, kommt man meistens erst zur

_____ _____ _____ _____ _____ .

24 Wörter hören und nachsprechen. Hören Sie zu und sprechen Sie nach. 🎧)) 2.28

1. organisieren – sich engagieren – sich beraten lassen
2. der Verein – die Veranstaltung – der Sachbearbeiter
3. unterschiedlich – freiwillig – ehrenamtlich

Banken und Versicherungen

1a Welche Karten braucht man in diesen Situationen? Schreiben Sie.

die *Versicherungskarte*   die *Kreditkarte*   die *Fahrkarte*

1b Welche Karten gibt es noch? Ordnen Sie zu.

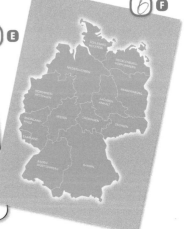

1. die Kreditkarte
2. die Postkarte
3. die Fahrkarte
4. die Visitenkarte
5. die Spielkarte
6. die Deutschlandkarte

2 Wiederholung – Nebensätze mit *weil*. Schreiben Sie.

> Ich möchte günstiger mit Bus und Bahn fahren. – Ich will ohne Bargeld telefonieren. – ~~Ich möchte im Ausland Bargeld abheben.~~ – Ich brauche sie im Beruf.

1. Ich habe eine EC-Karte, weil   *ich im Ausland Bargeld abheben möchte.*

2. Ich habe eine Telefonkarte, weil _____

3. Ich habe eine Monatskarte, weil _____

4. Ich habe eine Visitenkarte, weil   *ich sie im Beruf brauche.*

A Auf der Bank

3 Bank-Wörter. Was passt? Ergänzen Sie.

> Zinsen – PIN – Guthaben – Überweisung – Kontoauszug – Einkommen – Geldautomat

1. Das Geld, das Sie verdienen, nennt man _____.

2. Das Geld, das Sie auf der Bank haben, nennt man _____.

3. Das Geld, das Sie für Ihr Geld von der Bank bekommen, heißt _____.

4. Der Apparat, an dem Sie Geld bekommen, heißt _____.

5. Wenn Sie sehen möchten, wie viel Geld Sie auf Ihrem Konto haben, drucken Sie einen

   _____ aus.

6. Wenn Sie Geld am Automaten abheben, müssen Sie die _____ eingeben.

7. Wenn Sie Geld von Ihrem Konto auf ein anderes Konto schicken, machen Sie eine

   _____.

4 Ein Konto eröffnen. Ergänzen Sie den Dialog.

> Haben Sie auch Girokonten, die kostenlos sind? –
> Guten Tag, ich möchte ein Girokonto eröffnen. –
> Das gefällt mir. Wann bekomme ich die EC-Karte
> und die PIN? – Hier, bitte. Wie hoch sind die
> Gebühren monatlich?

◀ Guten Tag. Was kann ich für Sie tun?

◀ _____

_____

◀ Ja, gern. Dann brauche ich Ihren Personalausweis und eine Gehaltsabrechnung.

◀ _____

◀ Bei unserem Basis-Girokonto zahlen Sie 3,95 €.

◀ _____

◀ Ja, unser Plus-Girokonto ist bei einem Einkommen über 1000 € monatlich kostenlos.

◀ _____

◀ Oh, das geht schnell, spätestens in ein bis zwei Wochen.

5a Geld abheben. Was passt? Ordnen Sie zu.

die EC-Karte **1**   **A** auswählen

die Geheimzahl **2**   **B** in den Geldautomaten stecken

den Betrag **3**   **C** entnehmen

die EC-Karte **4**   **D** entnehmen

das Geld **5**   **E** eingeben und bestätigen

confirm

5b Wie hebt man Geld ab? Schreiben Sie mit den Wörtern aus 5a.

Zuerst steckt man die EC-Karte in den Geldautomaten. Dann _____

_____

_____

_____

_____

6a Dialoge bei der Bank. Hören Sie und kreuzen Sie an: richtig oder falsch? 🔊 2.29

	R	F
1. Frau Braszka möchte 179 € an die Firma Meier überweisen.	☑	○
2. Frau Frei zahlt 150 € auf ihr Konto ein.	○	○
3. Herr Hubertus hebt 100 € von seinem Konto ab.	○	○

6b Hören Sie den ersten Dialog noch einmal und ergänzen Sie die Überweisung. 🔊 2.30

Raiffeisenbank   1 0 0 5 0 0 0 0

Name und Sitz des überweisenden Kreditinstituts   Bankleitzahl

Begünstigter
FIRMA MEIER

Konto-Nr. des Begünstigten   Bankleitzahl

Kreditinstitut des Begünstigten
VOLKSBANK

EUR   Betrag *179*

Verwendungszweck
Fernsehreparatur 368

noch Verwendungszweck

Kontoinhaber
Ingeborg BRASZKA

Konto-Nr.
58471265

14.10.2010, Braszka
Datum, Unterschrift

7 Was passt? Ordnen Sie zu.

Können Sie mir zeigen, wie ich Geld **1**   **A** Gern. Sie müssen nur dieses
am Geldautomaten überweisen kann?   Formular ausfüllen.

Der Geldautomat ist kaputt. Ich möchte **2**   **B** Sie müssen zuerst diese Taste
100 € von meinem Konto abheben.   hier drücken.

Kann ich auch an dem Geldautomaten **3**   **C** Ja, das geht. Ich zeige es Ihnen.
Geld auf mein Konto einzahlen?

Wiederholung – Perfekt. Ergänzen Sie das Partizip.

◂ Joel, warst du bei der Bank und hast das Geld für Nina _____? *(überweisen)*

◂ Nein, leider nicht. Es war nicht genug Geld auf dem Konto.

◂ Aber hast du denn nicht letzte Woche 300 € _____? *(einzahlen)*

◂ Doch, aber gestern habe ich 150 € _____. *(abheben)*
  Ich musste die Autoreparatur bezahlen.

◂ Ach ja, das habe ich total _____! *(vergessen)*

B Versicherungen

9 Welche Versicherung hilft? Ordnen Sie zu.

A Kfz-Versicherung
B Krankenversicherung
C Rechtschutzversicherung

○ **1.** Herr Schwabe hat starke Zahnschmerzen. Er geht zum Zahnarzt.

○ **2.** Frau Akar geht mit ihrer Freundin im Park spazieren. Ein Hund springt sie an und macht ihre Handtasche kaputt. Der Hundebesitzer will den Schaden nicht bezahlen.

○ **3.** Michael fährt mit seinem Mofa. Ein Autofahrer öffnet die Autotür. Michael fährt gegen die Tür, verletzt sich nicht, aber das Mofa ist kaputt.

10 Ein Anruf bei der Versicherung. Ergänzen Sie den Dialog.

> Bei einem Besuch ist mir eine teure Vase aus der Hand gefallen. Die Vase ist jetzt kaputt. – Vielen Dank und auf Wiederhören. – Berger, guten Tag. Ich möchte einen Schaden melden. – 0749876.

◂ Guten Tag, Hamburger Versicherung, Neumaier. Was kann ich für Sie tun?

◂ _____

◂ Wie ist Ihre Versicherungsnummer?

◂ _____

◂ Was ist passiert?

◂ _____

◂ Gut, ich schicke Ihnen ein Formular, das füllen Sie aus und schicken es an uns zurück.
  Ihre Schadennummer ist 328299.

◂ _____

11a Lesen Sie. Was kann alles mit Kindern passieren? Suchen Sie im Text und schreiben Sie.

> **Kinder bis zehn Jahre – versichert mit der privaten Haftpflichtversicherung?**
> Der Fußball trifft das große Terrassenfenster, das Kind fährt mit dem Sportrad gegen den Familien-
> wagen vom Nachbarn, das Schokoladeneis landet auf dem neuen Sofa und der Tomatensaft auf dem
> teuren Teppich. In einer Sekunde wird aus Kinderspiel eine kleine Katastrophe. „Kein Problem, das
> zahlt unsere Haftpflichtversicherung", denken die Eltern oft. Aber leider stimmt das oft nicht. Denn viele
> Versicherungen zahlen diese Schäden nicht, wenn die Kinder noch nicht 10 Jahre alt sind. Prüfen ...

1. *Kinder spielen Fußball und machen ein Fenster kaputt.*

   (Fußball spielen – ein Fenster kaputt machen)

2. *Das Kind fährt ~~mit dem~~ Rad und macht das Auto vom Nachbarn kaputt.*

   (Rad fahren – das Auto vom Nachbarn kaputt machen)

3. *Das Kind isst ein Eis und das Eis fällt auf ~~das~~ das neue Sofa.*

   (ein Eis essen – auf das neue Sofa fallen)

4. *Das Kind trinkt Tomatensaft und machen den Teppich schmutzig.*

   (Tomatensaft trinken – den Teppich schmutzig machen)

11b Suchen Sie in 11a Komposita. Welche Wörter finden Sie? Schreiben Sie in Ihr Heft.

> 1. die Haftpflichtversicherung – die Haftpflicht, die Versicherung *der Kinderspiel*
>
> *das Tomatensaft, das Terrassenfenster, das Sportrad, der Familienwagen, das Schokoladeneis,*

12a Was ist das? Schreiben Sie.

1. *der Tisch* + *die Decke*

   die Tischdecke

4. *Tasche* +n+ *das Geld*

   das Taschengeld

2. *die Post* + *die Karte*

5. *das Gemüse* + *die Suppe*

   die Gemüsesuppe

3. *die Blume* +n+ *die Vase*

   die Blumenvase

6. *der Fuß* + *der Ball*

   der Fußball

Eine Blumenvase ist eine Vase, die man in Vase tut. X

Ein Fußball ist ein Ball, der

12b Was bedeuten die Wörter in 12a? Schreiben Sie in Ihr Heft.

> ~~man hat die Suppe aus Gemüse gekocht~~ – man tut Blumen in die Vase – man schickt die
> Karte seinen Freunden aus dem Urlaub – ~~man legt die Decke auf den Tisch~~ – Kinder bekom-
> men das Geld von den Eltern – man spielt mit dem Ball Fußball

> 1. *Eine Tischdecke ist eine Decke, die man auf den Tisch legen kann.*

5) Eine Gemüsesuppe ist eine Suppe, die man aus Gemüse gekocht hat.

C   Kaufen und reklamieren

13 Einen DVD-Player kaufen. Hören Sie den Dialog und ergänzen Sie den Preis. 🔊 2.31

1. Mota RMD 80

2. Boshita DS-940

14 Was sagt der Kunde? Schreiben Sie die Kundenrolle.

> zu teuer – sich für eine Digitalkamera interessieren – die Digitalkamera nehmen –
> wie lange Garantie?

◀ Guten Tag, kann ich Ihnen helfen?

◀ *Guten Tag,* _____

◀ Wir haben gerade diese kleine Digitalkamera im Angebot. Für nur 459 €.

◀ _____

◀ Dann haben wir noch diese hier, für 99,99 €. Das ist wirklich ein Schnäppchen.

◀ _____

◀ Zwei Jahre.

◀ _____

15 Textkaraoke. Hören, lesen und sprechen Sie die ⊖-Rolle im Dialog. 📱 2.32

⊙ …

⊖ Ich weiß nicht, sie ist zu klein.

⊙ …

⊖ Hm, aber die Vögel sind morgens bestimmt zu laut.

⊙ …

⊖ Na ja, die Zimmer sind bestimmt zu dunkel. Wie viel kostet die Wohnung?

⊙ …

⊖ Oh, das ist nicht teuer! Ich nehme die Wohnung.

16a Reklamation. Lesen Sie den Brief und kreuzen Sie an: richtig oder falsch?

> Pamasun
> Schlossallee 44
> 20496 Hamburg
>
> 19.07.20...
>
> **Frage zur Reparatur von Digitalkamera**
>
> Sehr geehrte Damen und Herren,
> ich habe die Digitalkamera DMC-TZ EG am 27.04.20... im Kaufhaus Kars gekauft. Die
> Quittung habe ich für Sie kopiert. Ich habe immer gute Fotos mit der Kamera gemacht
> und war mit der Qualität immer zufrieden. Vor ein paar Tagen ist die Kamera aber kaputt
> gegangen. Das Display ist plötzlich schwarz geblieben. Ich habe die Kamera immer
> vorsichtig behandelt. Die Kamera hat leider seit ein paar Monaten keine Garantie mehr.
> Können Sie sie vielleicht trotzdem kostenlos reparieren? Ich würde mich sehr freuen.
> Mit freundlichen Grüßen
>
> *Karl Schneider*

	R	F
1. Die Kamera funktioniert nicht.	○	○
2. Die Kamera ist Herrn Schneider aus der Hand gefallen.	○	○
3. Die Kamera hat noch Garantie.	○	○

16b Suchen Sie im Text Verben im Perfekt und ordnen Sie sie zu.

haben + Partizip: *gekauft (kaufen),* _____

_____

sein + Partizip: _____

_____

16c Schreiben Sie einen Reklamationsbrief. Schreiben Sie zu jedem Punkt einen Satz in Ihr Heft.

- Waschmaschine vor vier Monaten gekauft
- Letzte Woche kaputt gegangen
- den Garantieschein und die Quittung kopiert

> *Sehr geehrte Damen und Herren,*

17 Flüssig sprechen. Hören Sie zu und sprechen Sie nach. 🔊 ⏵⏵ 2.33

1. die Kontoauszüge? – Wo bekomme ich die Kontoauszüge?
2. Geld abheben? – am Automaten Geld abheben? – Kann ich am Automaten Geld abheben?
3. Online-Banking machen? – Kann ich auch Online-Banking machen?

18a Elektronische Geräte im Test. Lesen Sie die Meinungen. Was passt? Ordnen Sie zu.

A Kaffeemaschine   B Fernseher Sana   C Waschmaschine Siebo 899

http://www.cleverkaufen.de

B Erfahrungsbericht *report*

Ich habe diesen LCD TV vor vier Wochen gekauft und bin nicht zufrieden. Ich finde, dass die Tonqualität nicht gut ist. Die Bedienung ist aber einfach und praktisch. Ich kann das Gerät Leuten empfehlen, für die Tonqualität nicht so wichtig ist.

Diesen Erfahrungsbericht fanden 13 Mitglieder hilfreich. *was helpful*

C Erfahrungsbericht

Die Maschine sieht sehr einfach aus. Sie ist 84,7 cm x 60 cm x 59 cm groß und wiegt ca. 70 kg, das ist ziemlich schwer. Die Bedienung ist kinderleicht. Man muss nur darauf achten, dass man die Maschine nicht zu voll macht. Besonders gut finde ich das Intensiv-Programm, denn so wird auch unsere Kinderkleidung wieder richtig sauber. Es gibt auch ein Programm mit Knitterschutz, so kann ich leichter bügeln. Ein großer Vorteil ist, dass sie nicht laut ist. Also eine sehr gute Maschine!

Diesen Erfahrungsbericht fanden 163 Mitglieder sehr hilfreich.

A Erfahrungsbericht

Die Espresso 05 passt in jede moderne Küche. Sie sieht sehr schick aus. Menschen, die gern und oft Kaffee trinken, kann ich diese Maschine nur empfehlen. Ich habe für die Maschine 249 Euro bezahlt. Der Kaffee ist sehr heiß und schmeckt fantastisch. Nicht gut finde ich, dass die Milch nicht genug Schaum hat. *enough*

Diesen Erfahrungsbericht fanden 61 Mitglieder sehr hilfreich.

18b Was sind die Vor- und Nachteile von den Geräten? Lesen Sie noch einmal und markieren Sie die Vorteile grün und die Nachteile rot. Ergänzen Sie dann die Tabelle.

	Vorteile	Nachteile
Fernseher	Bedienung ist einfach und praktisch.	Tonqualität nicht gut
Waschmaschine	- Knitterschutz - Nicht laut	- Schwer
Kaffeemaschine	- Sehr heiß	

Wichtige Wörter

Versicherung, die, -en _____

Bibliotheksausweis, der, -e _____ *ID card*

Monatskarte, die, -n _____

aus|leihen, er hat ausgeliehen _____ *to ~~hand~~ lend*

Bargeld, das _____ *cash*

ab|heben, er hat abgehoben _____ *to withdraw [money]*

aus|drucken _____

A
1 ein|zahlen _____

Konto, das, Konten _____

2a Einkommen, das _____ *income*

eröffnen _____ *to open [an account]*

monatlich _____

kostenlos _____

Online-Banking, das _____

PIN, die, -s _____

Zinsen, meistens Pl. _____

Guthaben, das, - _____ *credit balance ee*

sich überlegen _____

Ich überlege es mir. _____ *I'll think about it.*

3b Geheimzahl, die, -en _____ *secret number*

ein|geben, er gibt ein, er hat eingegeben _____

Betrag, der, "-e _____ *amount / sum*

bestätigen _____ *to confirm*

entnehmen, er entnimmt, er hat entnommen _____

B
1 Rentenversicherung, die, -en _____

Kfz-Versicherung, die, -en _____ *car insurance*

Rechtschutzversi-cherung, die, -en _____

Haftpflichtversiche-rung, die, -en _____

Hausratversiche-rung, die, -en _____

2a Dieb, der, -e _____

Sache, die, -n _____ *thing*

stehlen, er stiehlt, er hat gestohlen _____ *to steal*

melden _____ *to report sth [to smb.]*

Schaden, der, "- _____ *damage*

Gericht, das, -e _____ *court*

3b Haftung, die _____ *liability / responsibility*

Schutz, der _____ *protection*

Tarif, der, -e _____

4a Fahrzeug, das, -e _____

Gebrauchtwagen, der, - _____ *used car*

Mietwagen, der, - _____ *rental car*

5a Erde, die _____

Topf, der, "-e _____ *pot*

C
reklamieren _____ *to complain*

2 ungemütlich _____

baden _____ *to bathe / swim*

Kneipe, die, -n _____ *pub*

3a Reklamation, die, -en _____ *complaint*

Batterie, die, -n _____

3b Quittung, die, -en _____ *receipt*

die Umwelt = environment

Garantieschein, der, *guarantee*
-e

4 Kaffeemaschine, die, _____
-n

Werk, das, -e _____

Reparatur, die, -en _____

Wörter lernen

to confirm   *possibilities*

19   Welche Verben passen? Ordnen Sie zu. Manchmal gibt es mehrere Möglichkeiten.

> bestätigen – abheben – eröffnen – eingeben – ausdrucken – einzahlen – entnehmen

1. die Geheimzahl _____
2. das Girokonto *eröffnen*
3. den Betrag *en*

4. den Kontoauszug _____
5. das Bargeld _____
6. die EC-Karte _____

20a   Frau Uhl war im Urlaub. Was ist passiert? Ordnen Sie zu und schreiben Sie Sätze.

> die Kamera / auf den Boden fallen – ein Dieb / ihre Handtasche stehlen – das Zimmer / ungemütlich sein

Das Zimmer war
ungemütlich

Die Kamera ist auf den
Boden gefallen.

Ein Dieb hat ihre
Handtasche ~~gestellt~~
gestohlen.

20b   Was passt? Verbinden Sie.

das Zimmer bei der Rezeption	1 ○	○ A	melden
den Schaden der Versicherung	2 ○	○ B	melden
den Schaden der Polizei	3 ○	○ C	schicken
die Kamera ans Werk	4 ○	○ D	reklamieren

20c   Was muss Frau Uhl machen? Schreiben Sie Sätze in Ihr Heft.

> *1. Sie muss das Zimmer bei*

21   Wörter hören und nachsprechen. Hören Sie zu und sprechen Sie nach. 🔊 2.34

1. die Quittung *Belleg* – der Garantieschein – die Reklamation
2. das Girokonto – das Online-Banking – die EC-Karte
3. Geld wechseln – Geld abheben – Geld einzahlen

1 Kreuzworträtsel. Was ist das? Ergänzen Sie.

1. F R E I Z E I T
2. R E D E
   E
3. U N T E R N E H M E
4. N
5. D
6. S P A ß
   C
7. H
   A
8. F
9. T

1. In meiner ... unternehme ich viel mit meinen Freunden.
2. Mit meinen Freunden ... ich oft über mein privates Leben.
3. Am Wochenende ... ich mit meinen Freunden etwas, z. B. gehen wir oft ins Kino.
4. Ich mag meine Kollegin. Ich finde sie ...
5. Bei dem Wort Schule muss ich immer an meinen besten Freund Jörg ...
6. Ich wandere gern mit meinen Freunden. Das macht mir sehr viel ...
7. Meine Freunde ... mir immer bei Problemen.
8. Meine ... ist sehr zuverlässig, sie ist immer für mich da.
9. Tina und Daniel sind schon gute Freunde. Sie ... sich sogar ihr Pausenbrot.

A Was ist Freundschaft?

2a Zwei Freundschaften. Hören Sie und kreuzen Sie an: Welche Fotos passen? 🔊 2.35

2b Hören Sie noch einmal und kreuzen Sie an: richtig oder falsch? 🔊 2.35

	R	F
1. Die Freundinnen interessieren sich für Fußball.	☒	☐
2. Sie ärgern sich lange, wenn die Deutschen verlieren.	☐	☒
3. Er kann sich auf seinen Freund nicht verlassen.	☐	☒
4. Er hat mit seinem Freund über seine Freundin gesprochen.	☒	☐

3 Gute Freunde. Wiederholung – Verben mit Präpositionen. Ergänzen Sie.

> auf – über – für – von – über – mit – auf – an

1. Gute Freunde interessieren sich _für_ meine Hobbys.
2. Gute Freunde sprechen _über_ ihre Probleme.
3. Man kann sich _auf_ einen guten Freund verlassen.
4. Man ärgert sich selten _über_ einen guten Freund.
5. Man kann _____ einer guten Freundin oft stundenlang telefonieren.
6. Ich freue mich _____ das Wochenende, denn meine beste Freundin kommt zu Besuch.
7. Gute Freunde denken oft _____ die gleichen Dinge.
8. Meine Freundin und ich träumen oft _von_ der großen Liebe.

4a Suchen Sie die Verben in 3. Welche Präposition ist richtig? Markieren Sie.

1. sich interessieren (für) an über
2. sprechen vor (über) an
3. sich verlassen für (auf) bei
4. telefonieren an durch (mit)
5. sich ärgern (über) an bei
6. träumen mit an (von)
7. denken (an) über für
8. (sich freuen) an (auf) bei

to look forward

4b Schreiben Sie Sätze mit den Verben aus 4a in Ihr Heft.

> _1. Ich interessiere mich für Sport._

5 Schreiben Sie Fragen.

1. ◖ Philip träumt von einem Mercedes.

   ◖ _Wovon träumt er?_

   ◖ Von einem Mercedes.

2. ◖ Ich warte auf den Bus.

   ◖ _Worauf warte ich?_

   ◖ Auf den Bus. Er kommt gleich.

3. ◖ Eva interessiert sich für Bachata.

   ◖ _____

   ◖ Für Bachata. Das ist ein karibischer Tanz.

4. ◖ Anika denkt die ganze Zeit an Daniel.

   ◖ _An wen_ _____

   ◖ An Daniel. Sie ist sehr verliebt.

5. ◖ Er ärgert sich über seine Frau.

   ◖ _____

   ◖ Über seine Frau. Sie haben sich gestritten.

6. ◖ Ich kann mich auf Frank nicht verlassen.

   ◖ _____

   ◖ Auf Frank. Er kommt wieder zu spät.

6 Jugendliche sprechen über ihre Freunde. Schreiben Sie Fragen zu den Antworten in Ihr Heft.

Wovon Träumt ~~ihr~~ ihr?

1 *Auf meinen Freund Arne. Auf ihn kann ich mich absolut verlassen.*

2 *Arne und ich träumen von einer Weltreise. Wir wollen nach dem Abitur zuerst ein Jahr reisen.*

quarrel/argue

3 *Streiten? Na ja, eigentlich nur über Musik. Arne hört gern Hard Rock, das finde ich furchtbar.*

exactly the same

Wofür interissiert sich Katja?

4 *Meine Freundin Katja interessiert sich für Sport – genauso wie ich.*

Worüber lachst ihr?

5 *Wir lachen oft über die gleichen Dinge.*

~~Hinter~~ Mit wem sprichst du?

6 *Mit Katja. Mit ihr kann ich über alles sprechen: über meine Probleme, über Bücher, die ich lese, über Musik ...*

1. Auf wen kannst du dich verlassen?

7 Was passt? Ordnen Sie zu.

Worauf wartest du? **1** ○   ○ **A** Auf Johanna. Sie kommt gleich.

Worüber lachst du? **2** ○   ○ **B** Über die letzte Urlaubsreise. Wir haben uns auch die Fotos angesehen.

Worüber habt ihr gestern **3** ○   ○ **C** Über Martin. Er ist schon zwei Wochen krank.
gesprochen?

Wovon träumst du? **4** ○   ○ **D** Auf den Anruf von meinen Eltern.

Auf wen wartest du? **5** ○   ○ **E** Über den Film, er ist sehr lustig.

Von wem träumt Niko? **6** ○   ○ **F** Über den Clown. Er macht lustige Sachen.

Über wen sprecht ihr? **7** ○   ○ **G** Vom Urlaub. Ich habe gerade viel Stress.

Über wen lachst du? **8** ○   ○ **H** Bestimmt von seiner Freundin. Sie sind erst zwei Wochen zusammen.

8 Beantworten Sie die Fragen für sich.

1. Worüber sprechen Sie mit guten Freunden?

_____

2. Auf wen können Sie sich immer verlassen?

_____

3. Mit wem unternehmen Sie am liebsten etwas?

_____

B Freundschaftsgeschichten

9a Lesen Sie die E-Mail und kreuzen Sie an: Was ist richtig?

Cc:

Betreff:

▶ Anlagen: *keine*

abç
ab | Schriftart ▼ | Schriftgr ▼ | F _K_ U T | ☰ ☰ ☰ | ☷ ☶ ☴ ☵ | ⚉A | · ✎

Hallo Steffen,

ich habe gedacht, dass wir uns beim Klassentreffen sehen. Zwanzig Jahre nach dem
Abitur – eine lange Zeit. Leider warst du nicht da. Was war los? Keine Lust oder keine Zeit?

Diesmal sind viele gekommen. André lebt jetzt in Berlin. Er hat eine Frau im Urlaub
kennengelernt und ist zu ihr umgezogen. Und Alina – weißt du noch, wer das ist? Sie hat
sieben Kinder bekommen und ist politisch sehr aktiv. Wir haben lange über die Schulpolitik diskutiert. Wir haben zu wenig Lehrer, aber auch – wie immer – zu wenig Geld.

Jens war auch da. Er hat die Kfz-Meisterprüfung gemacht und ist jetzt selbstständig.
Er hat viele Pläne für die Zukunft. Er will Oldtimer verkaufen. Ihm geht es richtig gut.

Wenn du Lust hast, können wir uns treffen. Melde dich doch mal!

Viele Grüße
Christian

	R	F
1. Christian hat seine Freunde und Bekannte aus der Schule getroffen.	O	O

2. Worüber hat er mit Alina diskutiert?
O **A** Über die Familienpolitik.
O **B** Über die Situation an Schulen.
O **C** Über seinen Urlaub.

9b Wie kann man es anders sagen? Suchen Sie im Text und schreiben Sie.

1. Leider bist du nicht gekommen.   *Leider warst du nicht da.*

2. Er wohnt in Berlin.   _____

3. Wir haben über die Situation an Schulen

   gesprochen.   _____

4. Er ist Kfz-Meister geworden.   _____

5. Er hat jetzt eine eigene Firma.   _____

6. Er hat viele Ideen für die nächste Zeit.   _____

7. Wir können zusammen etwas machen.   _____

10 Schreiben Sie die Sätze anders.

1. Die Pizza hat mir sehr gut geschmeckt. *(sehr gut sein)*
2. Wir treffen uns einmal im Monat. *(sich monatlich sehen)*
3. Du bist schon wieder unpünktlich! *(zu spät kommen)*
4. Der Backofen funktioniert nicht. *(kaputt sein)*
5. Heute sind alle Museen kostenlos. *(nichts kosten)*

> *1. Die Pizza war sehr gut.*

11 Beste Freunde. Hören Sie und kreuzen Sie an: Was ist richtig? 🔊 2.36

1. Martin arbeitet
   - ⃝ **A** in Schichtarbeit.
   - ⃝ **B** in Teilzeitarbeit.

2. Martin ist
   - ⃝ **A** unzuverlässig.
   - ⃝ **B** sehr zuverlässig.

3. Sie gehen zusammen
   - ⃝ **A** ins Kino.
   - ⃝ **B** zum Sport.

12 Worüber haben Sie das letzte Mal gelacht? Ergänzen Sie: *daran*, *darauf* oder *darüber*.

1. *Gestern habe ich eine Komödie über Frauen, Männer und Fußball gesehen. _____ muss ich jetzt noch lachen, wenn ich _____ denke. Heute Abend wollen wir uns den Film noch einmal ansehen. _____ freue ich mich jetzt schon.*

2. *Ich habe das letzte Mal heute Morgen gelacht. Ich habe von meinem Mann ein sehr großes Paket bekommen und darin war ein kleines Päckchen mit einem Ring! _____ habe ich mich sehr gefreut.*

3. *Gelacht? Geärgert! Mein Zug hatte wieder eine Stunde Verspätung! _____ ärgere ich mich jedes Mal!*

4. *Über meine Freundin. Sie hat mich gestern angerufen und erzählt, dass sie ihre Badesachen zu Hause vergessen hat. Sie ist im Urlaub ... am Meer! Sie hat sich _____ geärgert und ich habe _____ gelacht.*

13 Welche Präposition passt? Ergänzen Sie.

> an – von – auf – über – für – für

1. Am Wochenende fahre ich zum Familienfest. Dar_____ freue ich mich sehr.
2. Heute kommt eine Sendung über die Antarktis. Da_____ interessiere ich mich sehr.
3. Genau vor zwei Jahren hatte ich in unserer Firma meinen ersten Tag. Dar_____ muss ich oft denken.
4. Politik? Dar_____ diskutiere ich nie, da_____ interessiere ich mich nicht.
5. Ein Wochenende nur für mich! Da_____ träume ich schon lange.

14 Schreiben Sie Sätze.

1. In zwei Wochen fahre ich in den Urlaub. *(oft denken an)*

   In zwei Wochen fahre ich in den Urlaub. Daran denke ich oft.

2. Ich möchte sehr gut Klavier spielen können. *(schon lange träumen von)*

3. Ich habe mich heute wieder mit meinem Chef gestritten. *(sich oft ärgern über)*

4. Rosana ist meine beste Freundin. *(oft etwas unternehmen mit)*

5. Meine Freundin heiratet in vier Wochen. *(viel sprechen über)*

6. Alexander ist immer unpünktlich. *(immer warten auf)*

C Gedanken zur Freundschaft

15a Freunde mit 17 und mit 70. Zwei Elfchen. Ergänzen Sie die Gedichte.

| habe ich – zusammen unternehmen wir viel – sehr viel erlebt – mit siebzig – immer noch für dich – immer um mich |

Freunde

<u>habe</u> <u>ich</u>

____ ____ ____,

____ ____ ____ ____,

perfekt!

Freunde

<u>mit</u> <u>siebzig</u>,

____ ____ ____,

____ ____ ____ ____,

da!

15b Hören Sie und vergleichen Sie Ihre Gedichte mit der CD. 🔊 2.37

16 Elfchen „auf dem Kopf". Schreiben Sie ein Gedicht über Ihren Sprachkurs.

Sprachkurs

_____ _____ _____ _____

_____ _____ _____

_____ _____

_____

> viele Stunden – wir hier im Klassenzimmer – Deutsch und jetzt – Test – Deutsch – so eine
> schöne Sprache – und so einfach – denkst du – Fehler – immer diese vielen Vokabeln –
> und diese Verben – und Vokale – geschafft! – Prüfung vor der Tür – lernen und lernen –
> und dann – ...

17 *Freunde sind ...* Lesen Sie das Gedicht. Was denken Sie: Wie heißt die letzte Zeile?
Ergänzen Sie.

> Denn sie endet niemals! – Denn sie kommt und geht. – Denn sie hat viele Seiten.

Freunde sind
wie Eltern
nur sie wohnen nicht bei dir
du siehst sie
hörst sie
liebst sie
beschenkst sie
Freunde
sie lieben dich
sie hören dich
sie beschenken dich
und sie sehen dich
Denn wahre Freundschaft hat kein Happy End

_____

18 Flüssig sprechen. Hören Sie zu und sprechen Sie nach. 🔊 2.38

1. mit Ihren Freunden? – sprechen Sie mit Ihren Freunden? – Worüber sprechen Sie mit Ihren
Freunden?
2. nicht sprechen. – möchte ich nicht sprechen. – Darüber möchte ich nicht sprechen.

19a   Lesen Sie die Texte. Welches Foto passt? Ordnen Sie zu.

1. **Ute:**
   Trauti, Irene und ich kennen uns schon seit vierzig Jahren. Wir haben zusammen viel erlebt. Wir kennen unsere Familien, und wenn es Probleme gibt, sprechen wir immer darüber. Wir treffen uns jeden Donnerstag. Dann besuchen wir eine Ausstellung oder ein Konzert. Natürlich darf auch die Sachertorte im Wiener Café nicht fehlen!

2. **Jonathan:**
   Kaan ist ein echt guter Freund. Letztes Jahr war die Schule total nervig und stressig. Keine Lust zu nichts – die Noten waren im Keller. Kaan hat mir dann richtig die Meinung gesagt. Zuerst war ich ziemlich sauer, aber dann war für mich klar: Der will mir helfen!

3. **Lena:**
   Sören mag ich, aber Katy nicht. Die ist manchmal doof und gemein zu mir. Dann beißt sie einfach in mein Pausenbrot! Das ist meins! Sören darf von meinem Brot etwas haben, er teilt auch immer mit mir. Zu meinem nächsten Geburtstag lade ich ihn auch ein.

4. **Julia:**
   Roland und ich sind schon lange Freunde. Wir sind wirklich ein gutes Team! Und da sagt man, Frauen und Männer können nicht Freunde sein! Das stimmt doch nicht! Keiner versteht mich so gut wie Roland, keiner hört mir so gut zu wie er. Es ist interessant, wie Männer die Dinge sehen. Und lachen kann ich mit ihm auch am besten!

19b   Lesen Sie die Texte noch einmal und kreuzen Sie an: Was ist richtig?

	R	F
1. Trauti, Irene und Ute treffen sich, weil sie Probleme mit ihren Familien haben.	○	○
2. Jonathan hatte letztes Jahr keine guten Noten.	○	○
3. Lena will Sören und Katy zum Geburtstag einladen.	○	○
4. Roland und Julia arbeiten in einem Team.	○	⊗

Wichtige Wörter

Bekannte, der/die, -n — *acquaintance*

Freundschaft, die, -en — _____

sich teilen — *to share*

Sie teilen sich ein Stück Schokolade. — _____

A
1b Unterschied, der, -e — *difference*

Männerfreundschaft, die, -en — _____

Frauenfreundschaft, die, -en — _____

Gefühl, das, -e — *feeling*

reden — _____

unternehmen, er unternimmt, er hat unternommen — *to undertake*

sich verlassen — *vertrauen*

Ich kann mich auf meine Freunde verlassen. — _____

A
2a Ehe, die, -n — *marriage*

3 Deutschprüfung, die, -en — _____

B
Freundschaftsgeschichte, die, -n — _____

1b Tanzschule, die, -n — _____

mehrmals — *oft*

sich erinnern — _____

Ich erinnere mich gern an die Zeit im Kindergarten. — _____

2 befreundet sein — _____

unpünktlich — _____

stundenlang — *hour long*

3a Jugend, die — *youth.*

Komödie, die, -n — _____

Thriller, der, - — _____

sich verstehen, er hat sich verstanden — _____

Tatsache, die, -n — *fact*

bis auf die Tatsache, dass ... — _____

Fan, der, -s — *fan [of music]*

rein — ~~~~ *sauber*

Männerurlaub, der, -e — _____

4a Witz, der, -e — _____

Politikerwitz, der, -e — _____

C
Gedanke, der, -n — *thought*

1a Gedicht, das, -e — *poem*

weinen — *to cry*

1b Wärme, die — *warmth*

Freude, die — *pleasure / joy*

blühen — *to bloom*

2 Gras, das, "-er — _____

3a Humor, der — _____

_____

_____

_____

Theaterstück = play

Wörter lernen

20 Suchen Sie in der Wortliste passende Nomen und schreiben Sie sie.

1. kennen   *der/die Bekannte, –n*
2. unterschiedlich sein   *der Unterschied* — diff
3. fühlen   *das Gefühl*
4. sich freuen   *die Freude*
5. denken   *der Gedanke*

21 Welche Wörter sind das? Ordnen Sie zu.

> unternehmen – sich teilen – ~~sich verstehen~~ – weinen – vertrauen

1 *sich verstehen* :
zwei oder mehrere Personen haben eine gute Beziehung: *sich gut, prima, (nicht) besonders gut ~*

2 Tears _____ :
Tränen in den Augen haben, weil man traurig ist oder Schmerzen hat: *den ganzen Nachmittag ~*

3 _____ :
denken, dass jemand zuverlässig ist oder dass etwas stimmt: *einem Freund voll, ganz ~*

4 _____ :
sich selbst und einer anderen Person ein Stück von etwas geben: *s. die Arbeit, die Schokolade ~*

5 _____ :
etwas Schönes mit jemandem zusammen machen, z.B. ins Kino gehen: *etwas heute Abend gemeinsam ~*

22 Was passt nicht? Streichen Sie durch.

1. der Thriller – die Komödie – der Krimi – die Tanzschule
2. das Gedicht – die Geschichte – der Gedanke – das Elfchen
3. die Jugend – die Kinder – die Jugendlichen – die Erwachsenen
4. das Gras – der Baum – die Blume – die Wärme

23 Wörter hören und nachsprechen. Hören Sie zu und sprechen Sie nach. 🔊)) 2.39

1. der Gedanke – das Gefühl – das Gedicht
2. sich erinnern – sich verlassen – sich verstehen
3. der Thriller – der Fan – der Humor – die Komödie

1a Lesen Sie und ergänzen Sie.

Ich kann auf Deutsch

✔ ○

1. über Vereine und ehrenamtliches Engagement sprechen ○ ○

helfen – ehrenamtlich – Mitglied – Mitgliedsbeitrag

Sie ist _____ im Nachbarschaftsverein.

Die Menschen dort engagieren sich _____.

Sie _____ älteren Menschen, die alleine leben.

Es gibt keinen _____.

2. etwas genauer beschreiben ○ ○

Abitur machen können – Musik hören können – Kinder spielen

1. Ein Radio ist ein Gerät, mit dem _____

2. Ein Spielplatz ist ein Platz, auf dem _____

3. Das Gymnasium ist eine Schule, auf der _man Abitur machen können._

3. mit Ämtern und Behörden telefonieren ○ ○

verwählt – Durchwahl – verbinden – sprechen – verbunden

1. ◀ Guten Tag, Lydia Ortega. Ich möchte gern mit Frau Schulz _____.

   Können Sie mich bitte _____?

   ◀ Frau Schulz ist heute nicht da. Ich kann Ihnen aber ihre _____ geben.

2. ◀ Nein, hier ist nicht die Firma Müller. Sie sind falsch _____.

   ◀ Oh, dann habe ich mich _____. Entschuldigen Sie die Störung, bitte.

4. sagen, wozu ich verschiedene Karten brauche ○ ○

1. _Ich benutze die EC-Karte, wenn_ _____

2. _____

3. _____

5. mit Bankangestellten sprechen ○ ○

| kostet – kostenlos – eröffnen – wechseln |

1. ◀ Ich möchte ein Konto _____. Wie viel _____ das pro Monat?

   ◀ Wenn Sie im Monat mehr als 1.000 Euro verdienen, ist es _____.

2. ◀ Guten Tag, ich möchte gern 500 Euro in Dollar _____.

   ◀ Gern.

6. sagen, welche Versicherungen ich wichtig oder nicht wichtig finde ○ ○

1. Ich finde eine Haftpflichtversicherung _____, weil _____

   _____

2. Ich denke, eine Hausratversicherung ist _____, weil _____

   _____

7. etwas reklamieren ○ ○

| bekomme – funktioniert – gekauft – Quittung |

◀ Guten Tag, ich habe gestern bei Ihnen dieses Radio _____, aber es

_____ nicht. Hier habe ich die _____ und den Garantieschein.

◀ Ich schicke das Radio ans Werk zur Reparatur.

◀ Wann _____ ich es zurück?

◀ Das dauert ungefähr zwei Wochen.

8. über Freundschaften sprechen ○ ○

1. Worüber sprechen Sie mit Freunden oder Freundinnen?

   _____

   _____

2. Was unternehmen Sie gern mit Freunden oder Freundinnen?

   _____

   _____

1b Kontrollieren Sie mit den Lösungen und besprechen Sie Ihre Antworten im Kurs. Markieren Sie ✔ für kann ich und ○ für kann ich nicht so gut.

Prüfungsvorbereitung DTZ: Sprechen

Teil 1 Schreiben Sie zu jedem Stichwort eine passende Frage und beantworten Sie die Fragen.

	Fragen	Anworten
Name?	Wie	
Geburtsort?	Wo	
Wohnort?	Wo	
Arbeit/Beruf?	Was	
Familie?	Sind sie	
	Haben Sie	
Sprachen?	Welche	

Teil 2 1. Wählen Sie ein Foto aus und sammeln Sie Wörter dazu.

2. Beschreiben Sie das Foto und schreiben Sie fünf Sätze.

> Auf dem Foto sehe ich ... – Ich glaube, die Familie ... – Vielleicht ... – Das Foto zeigt, wie ...

> *Auf dem Foto sehe ich eine Familie. Es ist vielleicht Wochenende und*

3. Wie ist es in Ihrem Heimatland? Wählen Sie die Redemittel aus dem Schüttelkasten und schreiben Sie drei Sätze.

> Bei uns in ... ist es anders als / ähnlich wie in Deutschland: ... – Bei uns ist es genauso wie in Deutschland: Wir ... – Für mein Heimatland ist typisch, dass ... – Ich finde, dass in Deutschland / in meinem Heimatland ...

_____

_____

_____

_____

Teil 3 Ordnen Sie die Redemittel zu und schreiben Sie Sätze.

Sie wollen mit Ihren Nachbarn ein Hoffest machen und sollen es zusammen mit Ihrem Partner / Ihrer Partnerin organisieren.

> Hier sind einige Notizen:
> - Wann soll das Fest stattfinden?
> - Wer schreibt die Einladungen?
> - Wer kauft Essen und Getränke?
> - Wer bringt Musik mit?

> Ich denke, dass ... – Das finde ich nicht so gut. Ich finde es besser, wenn ... – Ich schlage vor, dass ... – Das ist eine gute Idee, wir können ... – Ich denke, dass das nicht so gut ist. Es ist besser, wenn ... – Ja, so machen wir es und ...

etwas vorschlagen

Ich denke, dass das Fest am Sonntagnachmittag stattfinden sollte.

_____

_____

zustimmen

_____

_____

_____

ablehnen

_____

_____

_____

Grammatikkarten

Wo und wohin? Wechselpräpositionen

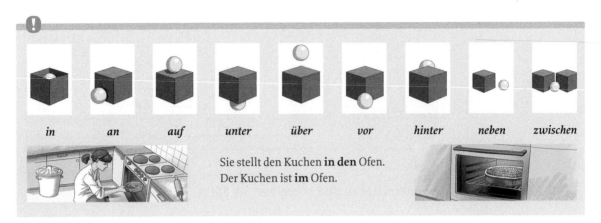

| in | an | auf | unter | über | vor | hinter | neben | zwischen |

Sie stellt den Kuchen **in den** Ofen.
Der Kuchen ist **im** Ofen.

1 Samstagnacht in der Wildmundstraße 4. Was ist wo? Beschreiben Sie, Ihr Partner/Ihre Partnerin zeichnet.

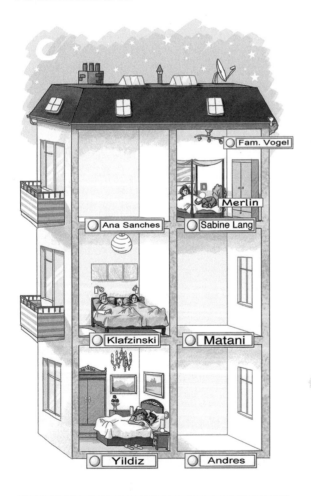

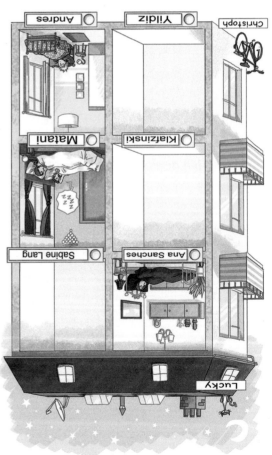

Wie sieht die Wohnung von Ana Sanchez aus?

An der Wand steht ein Bett. Über dem Bett ...

das Haus
das Fenster
der Balkon
der Boden
die Wand
die Decke

der Stuhl
der Tisch
der Ofen
die Kommode
der Schrank
das Bild
die Vase
der Sonnenschirm
die Blume
die Lampe

die Leiter
die Tasche
der Schlüssel
das Handy
die Zeitung
der Teller
die Tasse
der Kuchen
das Kleid
die Bluse
der Mantel

hängen
stellen
legen
springen
fallen
fahren

Wohin legt Frau Andres die Zeitung?

Auf den Tisch neben ...

Wohin geht ...?

Wohin stellt ...?

Perfekt

Ich	habe	eine Zeitung	gekauft.
Heute	habe	ich eine Zeitung	gekauft.

1 Fragen und antworten Sie.

kaufen – lesen – essen – bekommen –
sehen – verlieren – vergessen

Was hast du gestern gemacht?

Ich habe eine DVD gesehen.

gekauft
gelesen
gegessen
bekommen
gesehen
verloren
vergessen

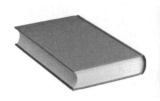

ein Buch

eine DVD

eine Zeitschrift

eine Zeitung

einen Mantel

eine Hose

eine Krawatte

ein Paar Schuhe

eine Kette

einen Ball

eine Schachtel Pralinen

Schokolade

ein Auto

eine Waschmaschine

einen Schrank

Ich	bin	ins Kino		gegangen.
Gestern	bin	ich ins Kino		gegangen.

2 Fragen und antworten Sie.

gehen – fahren – fliegen

> Wohin bist du letztes Jahr gefahren?

> Ich bin ans Meer gefahren.

ins Restaurant

ins Kino

in die Disko

gegangen
gefahren
geflogen

ins Theater

zum Supermarkt

auf den Markt

zum Kiosk

auf den Spielplatz

zur Schule

zum Kindergarten

in den Park

nach Berlin

ans Meer

zu meinen Verwandten

zu meinen Freunden

Nebensätze mit *weil*

◖ Warum kauft Herr Weber die Hose nicht?
◖ Die Hose ist zu groß.

◖ Warum ist Marianne unzufrieden?
◖ Ihr Freund ruft nicht an.

Herr Weber kauft die Hose nicht,	**weil** die Hose zu groß	ist.
Marianne ist unzufrieden,	**weil** ihr Freund nicht	anruft.

1 Warum ist Herr Deinhardt nicht im Büro? Fragen und antworten Sie.

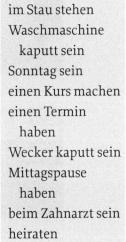

krank sein
im Stau stehen
Waschmaschine
    kaputt sein
Sonntag sein
einen Kurs machen
einen Termin
    haben
Wecker kaputt sein
Mittagspause
    haben
beim Zahnarzt sein
heiraten

Warum ist Herr Deinhardt nicht im Büro?

Weil er beim Zahnarzt ist.

Nebensätze mit *wenn*

> **Wenn** ich die Führerscheinprüfung **bestehe**, (dann) **kaufe** ich ein Auto.
> **Wenn** ich die Führerscheinprüfung nicht **bestehe**, (dann) **muss** ich sie noch einmal machen.

1   *Wenn ..., dann ...* Spielen Sie und bilden Sie Sätze.

Wenn ich ...
ein Geschenk
   bekomme,
gute Noten habe,
eine Freundin anrufe,
Urlaub habe,
Geld bekomme,
Fieber habe,

dann ...
freue ich mich.
will ich studieren.
sprechen wir lange.
fahre ich ans Meer.
kaufe ich ein Auto.
bleibe ich im Bett.

> *Wenn ich ein Geschenk bekomme, dann freue ich mich.*

Adjektivendungen nach dem unbestimmten Artikel

	Nominativ				Akkusativ		
m	Das ist ein	schöner	Mann.	m	Die Frau trägt einen	schönen	Mantel.
n	Das ist ein	schönes	Auto.	n	Die Frau trägt ein	schönes	Kleid.
f	Das ist eine	schöne	Frau.	f	Die Frau trägt eine	schöne	Kette.
Pl.	Das sind	schöne	Kinder.	Pl.	Die Frau trägt	schöne	Schuhe.

1 Ratespiel: Wer ist das? Beschreiben Sie eine Person. Ihr Partner / Ihre Partnerin muss raten.

Maria

Daria

Anna

Elena

Lena

Mariem

der Rock
der Mantel
der Anzug

das Kleid
das Hemd
das T-Shirt

die Hose
die Bluse
die Jeans
die Jacke
die Tasche
die Krawatte

die Haare (Pl.)
die Schuhe (Pl.)
die Socken (Pl.)
die Ohrringe (Pl.)

Marco

Werner

Thomas

Alexander

Paul

Stefan

> Meine Person hat lange Haare und trägt rote Schuhe.

> Das ist Maria.

> Nein, das ist eine andere Person. Sie trägt auch einen ...

Reflexive Verben

Ich	interessiere	**mich**	für Musik.	Wir	interessieren	**uns**	für Politik.
Du	interessierst	**dich**	für Briefmarken.	Ihr	interessiert	**euch**	für Filme.
Er/es/sie	interessiert	**sich**	für Autos.	Sie/sie	interessieren	**sich**	für Sport.

1 Spielen Sie und bilden Sie Sätze.

Sie brauchen eine Spielfigur pro Spieler und zwei Würfel: einen Würfel für das Spielfeld und einen Würfel für die Personalpronomen.

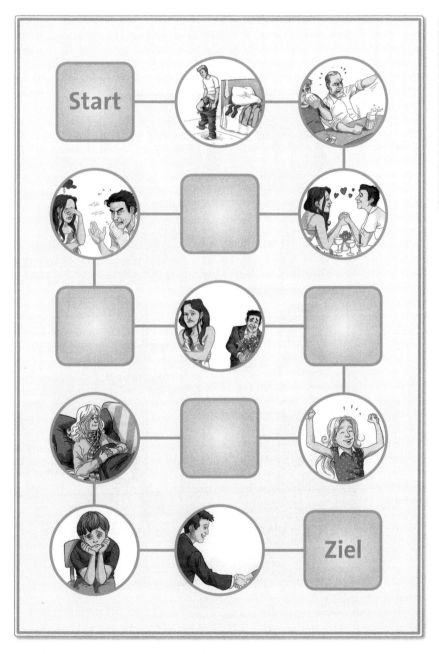

sich anziehen
sich ärgern
sich verlieben
sich streiten
sich entschuldigen
sich freuen
sich krank/einsam
   fühlen
sich vorstellen

 ich

 du

 er/es/sie

 wir

 ihr

 sie (Pl.)

 Er zieht sich gerade an.

Relativsätze I (Nominativ, Akkusativ)

Nominativ

Wie heißt die Frau? **Die** Frau sieht aus dem Fenster.

Wie heißt die Frau, **die** aus dem Fenster sieht?

	Relativpronomen
m	der
n	das
f	die
Pl.	die

1   In der Schlossstraße. Bilden Sie Relativsätze, fragen und antworten Sie.

... die Frau, die ...

... die Wohnung, die ...

... der Mann, der ...

... der Schlüssel, den ...

... das Buch, das ...

... dem Zettel, den ...

A   Wie heißt die Frau, ...? Die Frau sieht aus dem Fenster.

Wo ist die Wohnung, ...? Die Wohnung ist frei.

Was sagt der Mann, ...? Der Mann steht auf der Treppe.

Wo ist der Schlüssel, ...? Die Frau sucht den Schlüssel.

Wie heißt das Buch, ...? Der Junge liest das Buch.

Was steht auf dem Zettel, ...? Der Mann hängt den Zettel an die Tür.

> Wie heißt das Mädchen,
> das Fahrrad fährt?

B Wie heißt das Mädchen, ...? Das Mädchen fährt Fahrrad.
Welche Farbe haben die Hemden, ...? Die Hemden hängen auf
dem Balkon.
Wo wohnt die Frau, ...? Die Frau gießt Blumen.
Wie heißt der Mann, ...? Die Frau grüßt den Mann.
Welche Farbe hat der Koffer, ...? Herr Abt hat den Koffer in der Hand.
Wie viele Stockwerke hat das Haus, ...? Der Hausmeister streicht
das Haus.

... das Mädchen, das ...
... die Hemden, die ...
... die Frau, die ...
... der Mann, den ...
... der Koffer, den ...
... das Haus, das ...

Relativsätze II (mit Präpositionen)

!

Man kauft **in dem** Geschäft Brot.
Wie heißt ein Geschäft, **in dem** man Brot kaufen kann?

Man kann **mit dem** Ding Suppe essen.
Wie heißt ein Ding, **mit dem** man Suppe essen kann?

1 Spielen Sie. Fragen und antworten Sie.

Sie brauchen eine Spielfigur pro Spieler und eine Münze: Der Kopf heißt „ein Feld weitergehen",
die Zahl heißt „zwei Felder weitergehen".

Brot/Brötchen kaufen
Getränke kaufen
Medikamente kaufen
Lebensmittel kaufen
alles kaufen
Tapeten und Wand-
     farben kaufen

Suppe essen
schreiben
Papier schneiden
ein Zimmer streichen
überall telefonieren
Musik hören

Wie heißt ein Geschäft, in dem man Brot kaufen kann?

Ein Geschäft, in dem man Brot kaufen kann, heißt Bäckerei.

Nebensätze mit Fragewort oder *ob*

❗

Nebensätze mit Fragewort	Nebensätze mit *ob*
Wann fährt der Zug ab?	Wartet der Zug in Ulm?
Wissen Sie, **wann** der Zug abfährt?	Wissen Sie, **ob** der Zug in Ulm wartet?

1   Am Bahnhof. Die Fahrgäste haben viele Fragen. Fragen und antworten Sie zu dritt.

Verben mit Präpositionen

Wovon träumt sie?
Von ihrem Urlaub.
Davon träume ich auch.

Worüber ärgern sie sich?
Über das Fußballspiel.
Darüber ärgere ich mich nie.

1 Ergänzen Sie zuerst „Ihre" Präpositionen und fragen Sie sich dann gegenseitig ab.

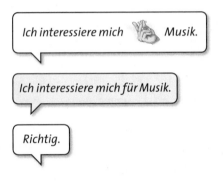

Ich interessiere mich 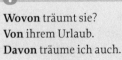 *Musik.*

Ich interessiere mich für Musik.

Richtig.

> sich ärgern über
> teilnehmen an
> denken an
> sich erinnern an
> sich freuen auf
> sich freuen über
> sich interessieren für
> sprechen über
> träumen von
> sich unterhalten über

A

1. Ich interessiere mich ... Musik.
2. Sie träumt ... der Sonne.
3. Wir denken gern ... den Urlaub.
4. Ich erinnere mich ... meine Kindheit.
5. Ich unterhalte mich gern ... Politik.
6. Es ist Anfang Dezember. Die Kinder freuen sich ... Weihnachten.
7. Es ist Weihnachten. Die Kinder freuen sich ... die Geschenke.
8. Ich nehme ... der Sportveranstaltung nicht teil.
9. Ich ärgere mich ... die vielen Autos.
10. Er spricht immer ... Fußball.

B

1. Er ärgert sich ... das Fernsehprogramm.
2. Ich träume ... einem Haus mit Garten.
3. Wir sprechen viel ... die Arbeit.
4. Er erinnert sich gern ... die erste Zeit in Deutschland.
5. Er nimmt ... einer Fortbildung teil.
6. Sie interessiert sich ... Mode.
7. Das Schuljahr ist noch nicht zu Ende. Die Schüler freuen sich schon ... die Ferien.
8. Jetzt sind Ferien. Die Schüler freuen sich ... die Ferien.
9. Ich muss ... den Schlüssel denken.
10. Sie träumen ... einem schicken Sportwagen.

2 Fragen und antworten Sie. Arbeiten Sie mit den Sätzen in 1.

◖ Er ärgert sich über das Fernsehprogramm.
◖ Worüber?
◖ Über das Fernsehprogramm.
◖ Ach so, darüber.

> woran / daran
> worauf / darauf
> wofür / dafür
> wovon / davon
> worüber / darüber

Hörtexte

Hier finden Sie alle Hörtexte, die nicht oder nicht vollständig im Arbeitsbuch abgedruckt sind.

 LEKTION 1 **Meine Geschichte**

12

◁ Wann sind Sie nach Deutschland gekommen?

◁ Ich bin 2007 nach Deutschland gekommen.

◁ Wo haben Sie da gewohnt?

◁ Zuerst habe ich in der Nähe von Kassel gewohnt. Leider gibt es da nicht so viel Arbeit und ich habe keine Arbeit gefunden. Ich war etwas depressiv. Dann hat mein Onkel, er wohnt in Frankfurt, gesagt: Komm nach Frankfurt. Hier findest du bestimmt eine Arbeit. Ich bin also zu meinem Onkel nach Frankfurt umgezogen.

◁ Haben Sie in Frankfurt sofort eine Arbeit gefunden?

◁ Nein, in Frankfurt habe ich erst einmal einen Sprachkurs gemacht. Im Sprachkurs habe ich viele nette Leute kennengelernt. Ich habe auch die Prüfung gemacht. Beim zweiten Mal habe ich sie geschafft. Dann habe ich auch eine Arbeit gefunden.

◁ Und wie geht es Ihnen jetzt?

◁ Ich bin ganz zufrieden, aber ich verdiene leider nicht so viel Geld, vielleicht finde ich noch eine andere Arbeit. Ich möchte gern wieder als Ingenieur arbeiten, so wie in meiner Heimat.

22b

◁ Ich habe so wenig Kontakt mit Deutschen.

◁ Du kannst auch mit anderen Ausländern auf Deutsch sprechen.

◁ Ich vergesse immer die Wörter.

◁ Schreib doch die Wörter auf Wortkarten.

◁ Die Deutschen sprechen so schnell.

◁ Dann sag doch: Bitte sprechen Sie langsam.

◁ Ich spreche nicht gern. Ich habe immer Angst.

◁ Hab doch keine Angst. Fehler sind doch nicht so schlimm.

 LEKTION 2 **Medien**

4

1. Das Internet benutze ich immer abends. Dann sehe ich Filme aus meiner Heimat. Das deutsche Fernsehen verstehe ich nicht so gut.

2. Ich chatte gern. Ich habe Freunde in Australien und mit dem Internet haben wir immer Kontakt.

3. Im Internet kann man sehr gut Preise vergleichen. Dann muss man nicht stundenlang durch die Stadt laufen. Ich kann alles zu Hause machen, auch einkaufen.

10b

Das war's dann, liebe Hörer. Unsere Sendung geht zu Ende. Um 19.00 Uhr kommen die Nachrichten. Um 19.05 Uhr geht es weiter mit Sport und ab 19.30 hören Sie unser Radio-Quiz.

12

◁ Wollen wir heute Abend fernsehen?

◁ Was kommt denn?

◁ Es gibt einen Tierfilm. Den können wir sehen.

◁ Ein Tierfilm? Das finde ich langweilig.

◁ Es gibt auch einen Krimi.

◁ Ja, Krimis sehe ich gern. Wann fängt er an?

◁ Um Viertel nach acht.

◁ Gut, dann sehen wir den Krimi.

 LEKTION 3 **Endlich Wochenende**

3a

Samstags mache ich zuerst meine Hausaufgaben und lerne für den Deutschkurs. Ich habe bald eine Prüfung. Aber dann rufe ich meine Freunde an. Wir gehen dann in die Stadt, trinken etwas in einem Café oder gehen ins Kino. Und sonntags? Ja, sonntags koche ich gern lang und gut. Ich probiere dann oft ein neues Rezept aus. Oder ich gehe spazieren. Manchmal bleibe ich auch zu Hause und lese ein Buch.

11

◖ Hast du heute Abend Zeit?

◖ Ja. Was wollen wir machen?

◖ Vielleicht ins Kino gehen. Oder hast du keine Lust?

◖ Doch. Was läuft denn?

◖ Affären a lá Carte. Den haben wir noch nicht gesehen.

◖ Doch, ich habe ihn schon letzte Woche gesehen.

◖ Oh, Schade!

15

◖ Wir möchten zahlen.

◖ Ja gern. Zusammen oder getrennt?

◖ Zusammen bitte.

◖ Sie hatten zweimal Pizza, einen gemischten Salat und ... zwei Rotwein?

◖ Nein, einen Rotwein und ein Bier.

◖ Ach ja, richtig. Das macht dann zusammen 28 Euro 50.

◖ 30 Euro, stimmt so.

18c

◖ Schau mal, am Sonntag gibt es einen Flohmarkt.

◖ Ich habe keine Lust auf den Flohmarkt!

◖ Ach, wann ist der denn? Ich suche immer noch eine schöne Lampe für meinen Schreibtisch.

◖ Der Flohmarkt fängt um 15 Uhr an.

◖ Hmm, das geht nicht. Da kommt doch mein Onkel mit Familie zum Tee.

◖ Ach ja, stimmt.

◖ Aber Papa, guck mal hier: Im Landschaftspark gibt es Spiele für die ganze Familie!

◖ Und Livemusik. Das hört sich gut an.

◖ Und um wie viel Uhr?

◖ Es fängt um 11 Uhr an. Da können wir wirklich hingehen. Bis nachmittags haben wir Zeit.

◖ Na gut. Dann gehen wir in den Landschaftspark.

LEKTION  **Schule**

4

◖ Frau Ahlers, Sie haben einen Sohn. Was macht er jetzt?

◖ Also unser Sohn Jens geht jetzt in die vierte Klasse und wir möchten, dass er danach aufs Gymnasium geht.

◖ Ist er gut in der Schule?

◖ Er hat gute Noten, nur in Mathematik muss er besser werden. Wenn er eine Zwei hat, dann kann er aufs Gymnasium gehen.

◖ Was möchten Sie denn, was soll er später einmal machen?

◖ Was er nach dem Gymnasium machen soll? Ach, das wissen wir noch nicht, das muss er entscheiden. Er sagt, er möchte Arzt werden. Dann muss er aber sehr gute Noten haben und an der Universität studieren. Vielleicht verdient er dann gut. Und wenn wir krank sind, kann er uns dann helfen, aber das dauert ja noch.

12

1. ◖ Guten Tag, Frau Kutscharova. Ihr Sohn Philipp hat ein sehr gut in Geschichte und ein gut in Englisch.

   ◖ Oh, das ist schön. Er hat auch sehr viel gelernt in der letzten Zeit.

   ◖ Wenn er so weitermacht, kann er sogar ein sehr gut in Mathematik schaffen.

2. ◖ Guten Morgen, Alina. Ich habe eine gute Nachricht für dich. Deine Noten sind besser: in Englisch gut und in Mathe befriedigend. Wenn du das Abitur machen willst, brauchst du noch mindestens befriedigend in Deutsch.

   ◖ Ja, das kann ich schaffen.

17

Also, meine Schulzeit war schön. Unsere Lehrer waren ziemlich streng, aber die Prüfungen waren nicht so schwierig wie heute. Wir mussten auch viel lernen und die Hausaufgaben durften wir nicht in der Schule machen, aber wir hatten auch viel Spaß. Nachmittags konnten wir verschiedene Kurse wählen, zum Beispiel Basketball, Tanzen oder Schach. Unsere Eltern mussten dafür ein bisschen bezahlen. Manchmal wollten wir aber auch lieber an den Strand gehen und schwimmen, besonders wenn es heiß war. Aber das durften wir nie. Leider.

STATION 1

Teil 1

Beispiel

Guten Tag, hier ist die Firma Elektro Schmidt. Sie haben bei uns Ihren Fernseher zur Reparatur abgegeben. Er ist jetzt fertig und Sie können ihn abholen. Unsere Öffnungszeiten sind von 9.00 bis 18.30 Uhr. Ja, und der Preis für die Reparatur ist 102 Euro.

1. Hallo Elwa. Immer dieser Anrufbeantworter! Hier ist Susanne. Du, Elwa wir wollen doch heute Abend ins Kino. Ich habe die Karten reserviert. Das Kino fängt um acht Uhr an, man muss die Karten aber schon um sieben Uhr an der Kasse abholen. Kannst du das machen? Ich kann erst kurz vor acht da sein. Danke und bis später.

2. Guten Tag. Hier ist die Hausarztpraxis von Dr. Schneider. Wir sind im Urlaub. Am Montag, den 30. August ist unsere Praxis wieder geöffnet. In dringenden Fällen können Sie einen Termin bei unserer Kollegin Frau Dr. Schwarz, Kaiserstraße 42, Telefon 069 24 43 77 bekommen.

3. Verehrte Fahrgäste. In wenigen Minuten erreichen wir Hamburg. Leider hat unser Zug zwanzig Minuten Verspätung. Sie erreichen noch den Regionalexpress 21408 Richtung Lübeck, Abfahrt 8.11 Uhr von Gleis 7 und den Regionalexpress 21008 Richtung Kiel, Abfahrt 8.20 Uhr von Gleis 6. Der ICE 705 nach Berlin, Abfahrt 8.06 Uhr konnte nicht mehr warten. Reisende nach Berlin nehmen bitte den ICE 175, Abfahrt 8.33 Uhr von Gleis 8. Für weitere Informationen beachten Sie bitte die Lautsprecheransagen am Bahnhof.

4. Verehrte Fahrgäste. Bitte beachten Sie: Wegen Bauarbeiten hält die Linie 4 bis zum 20. September nicht an der Haltestelle Eschholzstraße. Umsteigemöglichkeit Richtung Hauptbahnhof und Innenstadt: Haltestelle Technisches Museum, Linien 1 und 3.

Teil 2

5. Jetzt auch in Hamburg! Fitnessline – das besondere Fitnessstudio. Eröffnung am 27. März in der Speicherstadt. Kostenlose Probestunde, individuelle Trainingsprogramme – wir haben für jeden etwas.

6. Und hier noch das Wetter für morgen. Im Süden den ganzen Tag Regen. In der Mitte Wechsel zwischen Sonne und Wolken. Im Norden vormittags Sonne, am Nachmittag ziehen Wolken auf, am Abend kann es vereinzelt zu Regenfällen kommen, sehr windig. Temperaturen nachts bis 9 Grad, tagsüber bis 23 Grad, am Oberrhein bis 25 Grad.

7. Es folgen die Verkehrsnachrichten: A1 Dortmund Richtung Köln zwischen Kreuz Wuppertal-Nord und Wuppertal-Langerfeld 4 km Stau. A43 Recklinghausen Richtung Wuppertal zwischen Sprockhövel und Kreuz Wuppertal-Nord nach Unfall 2 km stockender Verkehr.

8. Und hier ein Programmhinweis. Bitte achten Sie auf folgende Programmänderung: Heute Abend müssen der Krimi Polizeiruf 110 und auch die Talkshow Anne Will leider ausfallen. Diese Sendungen können Sie zu einem späteren Zeitpunkt sehen. Sie sehen heute Abend eine Sendung zur Fußball-Europameisterschaft.

9. Und hier eine Information der Marktbetriebe. Am nächsten Samstag ist Feiertag. Deshalb gibt es den Wochenmarkt diese Woche am Freitag von 8 bis 19 Uhr.

Teil 3

Beispiel

◀ Guten Tag, was kann ich für Sie tun?

◀ Ich suche einen Mantel, gern in Braun.

◀ Mäntel haben wir hier. Welche Größe haben Sie?

◀ 44.

◀ Moment, ich schaue mal ... Ja, hier ist ein brauner Mantel in Größe 44. Wollen Sie ihn anprobieren?

◀ Ja, gern ... Na ja, eigentlich gefällt mir der Mantel gut. Aber 379 Euro finde ich doch etwas teuer. Haben Sie noch andere Mäntel in Braun?

◀ Nein, im Moment haben wir nur diesen Mantel. Aber nächste Woche bekommen wir neue Ware.

◀ Vielen Dank. Dann warte ich noch.

10. + 11.

◖ Guten Tag, Ich habe gestern bei Ihnen dieses Radio gekauft.

◖ Aha. Ist etwas nicht in Ordnung?

◖ Ja, es funktioniert nicht.

◖ Darf ich mal sehen? Moment ... hier ist eine Steckdose. So, jetzt einschalten. Ja, Sie haben recht. Da passiert nichts.

◖ Kann ich ein neues bekommen? Ich habe hier auch den Kassenbon.

◖ Natürlich. Ich gebe Ihnen ein anderes Radio.

12. + 13.

◖ Guten Tag, Herr Wagner.

◖ Guten Tag, Herr Lischka. Das ist wirklich ärgerlich. Die Mülltonnen sind schon wieder voll.

◖ Ach, schon wieder? Die Mülltonnen sind einfach zu klein und immer voll. Die Hausverwaltung muss das ändern.

◖ Ja, wir bezahlen Miete und Nebenkosten, aber die Hausverwaltung macht nichts.

◖ Ich schlage vor, dass wir einen Brief an die Hausverwaltung schreiben. Wenn Sie Zeit haben, können Sie heute Abend bei mir vorbeikommen.

◖ Einverstanden. Dann bitten wir die Hausverwaltung, dass sie bei der Stadt noch zwei Mülltonnen bestellt.

14. + 15.

◖ Sakine Yildirim.

◖ Guten Tag, Frau Yildirim. Hier spricht Bianca Busch. Ich bin die Klassenlehrerin von Mahmud.

◖ Guten Tag, Frau Busch.

◖ Ich rufe an, weil die Noten von Ihrem Sohn Mahmud in den letzten Monaten schlechter geworden sind.

◖ Ja, das habe ich auch schon gesehen. Besonders in Deutsch ist er sehr schlecht. Leider kann ich ihm da nicht helfen, denn mein Deutsch ist nicht gut genug.

◖ Das ist auch nicht nötig. Es gibt Angebote für Schüler mit Problemen. Ich schlage vor, Sie kommen mit Mahmud einmal zu mir in die Schule und dann sprechen wir über die Angebote. Haben Sie am nächsten Dienstag um 15 Uhr Zeit?

◖ Ja, das geht.

◖ Also dann bis nächsten Dienstag. Auf Wiederhören, Frau Yildirim.

16. + 17.

◖ Hier spricht Helmut Asal.

◖ Guten Tag, mein Name ist Kurt Waldvogel. Ich habe Ihre Wohnungsanzeige gelesen. Ist die Wohnung noch frei?

◖ Ja, sie ist noch frei.

◖ Ich habe einige Fragen. In der Anzeige steht 450 Euro plus Nebenkosten. Wie hoch sind denn die Nebenkosten?

◖ Die Nebenkosten liegen bei ungefähr 120 Euro.

◖ Außerdem schreiben Sie, dass die Wohnung in Landwasser liegt. Da sind einige sehr ruhige Straßen, aber die Hauptstraße mit der Straßenbahn und den Bussen ist sehr laut. Wo liegt die Wohnung genau?

◖ Im Auerweg.

◖ Sehr gut, da ist es ruhig. In welchem Stockwerk ist die Wohnung?

◖ Im Erdgeschoss.

◖ Ach, das ist nicht so gut. Ich wohne lieber im zweiten oder dritten Stock. Trotzdem vielen Dank für die Informationen.

LEKTION 5 **Am Arbeitsplatz**

2

1. Mit sechs Jahren wollte ich Busfahrer werden – wie mein Opa. Na ja, ich habe dann nach dem Abitur Medizin studiert. Jetzt bin ich Arzt und arbeite in einem Krankenhaus.

2. Als kleines Mädchen hatte ich lange Haare und habe immer neue Frisuren ausprobiert. Das hat mir Spaß gemacht und so wollte ich Friseurin werden. Heute arbeite ich als Köchin in einem Hotel. Das ist anstrengend, aber es macht mir auch Spaß.

3. Früher habe ich mir neue Maschinen ausgedacht und habe sie gemalt, ich wollte sie alle später konstruieren. Ich wollte Ingenieur werden, aber dann habe ich doch kein Abitur gemacht. Jetzt bin ich Mechatroniker.

25

1. Ich mag Betriebsausflüge. Es ist gut, wenn man die Kollegen nicht nur bei der Arbeit sieht. Man muss auch private Kontakte haben, dann lernt man die Kollegen besser kennen und die Arbeit macht mehr Spaß.

2. Betriebsausflüge sind eigentlich gut, aber es ist wichtig, dass alle Kollegen mitkommen, auch die Chefs. Letztes Jahr ist unser Chef nicht mitgekommen. Er hatte einen wichtigen Termin in Berlin. So hat der Betriebsausflug ohne den Chef stattgefunden, das war sehr schade.

3. Ich finde, dass Betriebsausflüge manchmal gut und manchmal schlecht sind. Wichtig ist, dass das Programm gut ist. Bei unserem letzten Betriebsausflug haben wir ein Museum besucht. Das war sehr interessant. Aber manchmal machen wir nur eine Wanderung.

4. Betriebsausflüge mag ich nicht. Ich bleibe dann immer zu Hause. Ich sehe meine Kollegen bei der Arbeit oft genug. Es ist doch langweilig, wenn die Arbeitskollegen aus der ganzen Firma auch in der Freizeit zusammen sind! In meiner Freizeit treffe ich lieber meine Freunde.

LEKTION 6 **Wohnen nach Wunsch**

1

1. ◖ Herr Bach, wie wohnen Sie?
   ◖ Wir wohnen jetzt sehr schön. Wir haben eine Wohnung in einem Mietshaus, im fünften Stock, die Wohnung ist schön groß und sehr hell. Wir haben auch einen Balkon, das ist wichtig für uns, denn wir mögen gern Blumen und wir sitzen gern im Sommer abends draußen. Der Balkon geht nach Westen, und wenn wir abends von der Arbeit zurückkommen, dann haben wir immer noch Sonne. Und hinter dem Haus ist ein Hof mit einem Spielplatz. Unser Sohn kann auch alleine runtergehen und dort spielen. Wir können ihn vom Balkon aus sehen. Das ist sehr praktisch. Wir wohnen sehr gern hier.

2. ◖ Frau Kaven, wo liegt Ihre Wohnung? Wie wohnen Sie?
   ◖ Sie liegt ziemlich zentral, ganz in der Nähe vom Bahnhof. Unsere Straße ist eine Einkaufsstraße, es gibt viele Geschäfte ganz in der Nähe. Das ist sehr praktisch, wir brauchen kein Auto, wir können alles zu Fuß oder mit öffentlichen Verkehrsmitteln machen. Mein Mann fährt mit der U-Bahn zur Arbeit und ich fahre mit dem Fahrrad, ich brauche nur zehn Minuten. Na ja, und wenn wir abends ausgehen wollen oder ins Kino gehen wollen, dann ist das auch kein Problem. Bei uns in der Nähe gibt es drei Kinos und viele Restaurants. Mir gefällt's hier.

3. ◖ Herr Müller, wie wohnen Sie?
   ◖ Wir haben früher in der Stadt gewohnt, aber jetzt haben wir Kinder, zwei kleine Kinder, 3 und 5 Jahre alt. Deshalb haben wir uns ein Haus auf dem Land gesucht, in einem kleinen Dorf. Ich brauche jetzt lange zur Arbeit, ich fahre fast eine Stunde, das ist natürlich ein Nachteil. Meine Frau hat Glück, sie ist Lehrerin und kann in der Schule im Dorf arbeiten. Und unser Haus ist wunderschön. Wir haben einen großen Garten hinter dem Haus, und die Straße vor dem Haus ist ruhig, da fahren nicht so viele Autos. Das ist gut für die Kinder. In der Stadt hatte ich immer Angst, dass die Kinder auf die Straße laufen, hier bei uns ist das kein Problem, es gibt nicht viele Autos in unserer Straße und die Autos fahren langsam. Ich bin sehr froh, dass wir jetzt hier wohnen.

8

◖ Meier-Angermann.
◖ Guten Tag, mein Name ist ... Ich habe Ihre Anzeige in der Zeitung gelesen.
◖ Die 3-Zimmerwohnung in der Mozartstraße?
◖ Ja, genau. Ist die Wohnung noch frei?
◖ Ja, sie ist noch nicht vermietet, aber es gibt schon ein paar Interessenten.
◖ Kann ich die Wohnung besichtigen?
◖ Gern, kommen Sie doch heute Abend um sieben.
◖ Oh, das ist schwierig. Ich arbeite bis sieben. Kann ich auch etwas später kommen?
◖ Kein Problem, ich bin bis acht in der Wohnung.
◖ Danke schön und auf Wiedersehen.
◖ Auf Wiedersehen.

Feste feiern

2b

1. ◀ Welcher Tag ist heute?
   ◀ Heute ist Freitag, der fünfte Juni.
   ◀ Juli oder Juni?
   ◀ Der fünfte Juni, der 5. 6.
2. ◀ Sag mal, kannst du mir sagen, welcher Tag heute ist?
   ◀ Heute ist Mittwoch, der 8. 7., der achte Juli.
3. ◀ Ist heute der einundzwanzigste oder der zweiundzwanzigste?
   ◀ Warte mal, gestern hatte Lisa Geburtstag, das war der zwanzigste. Also ist heute der einundzwanzigste.
   ◀ Okay, also ist heute der 21. 5. 20...

6

1. ◀ Zahnarztpraxis Dr. Schwind, Akin, guten Tag.
   ◀ Guten Tag, mein Name ist Wang, ich hätte gern einen Termin.
   ◀ Geht es auch am Vormittag?
   ◀ Nein, ich kann erst nach 17 Uhr.
   ◀ Gut, dann habe ich einen Termin am 22. 9. um 17.30 Uhr.
   ◀ Oh, tut mir leid, da kann ich nicht.
   ◀ Dann erst wieder am 21. 10. um 18 Uhr. Sagen Sie bitte noch einmal Ihren Namen ...
2. ◀ Wo wohnst du?
   ◀ In der Merianstraße. Wenn du von der U-Bahn kommst, dann ist unser Haus auf der linken Seite, die Nummer 11. Es ist das fünfte Haus und wir wohnen im zweiten Stock.
   ◀ Ok, das fünfte Haus, die Nummer 11 und dann im zweiten Stock.

14

1. Unsere Hochzeit war sehr schön, aber es war auch viel Arbeit. Wir hatten Glück, unsere Eltern haben uns geholfen, wir mussten nicht alles alleine machen. Wir haben unsere Verwandten und Freunde eingeladen, das waren 80 Leute. Wir waren erst auf dem Standesamt und dann in der Kirche, und danach sind wir ins Restaurant gegangen und haben Café getrunken. Ich habe aber keinen Kuchen gegessen, ich hatte keine Zeit. Ich musste die Gäste begrüßen und dann mussten wir unser Hochzeitsfoto machen. Das hat eine Stunde gedauert. Abends haben wir im Restaurant gegessen, fünf Gänge, sehr fein und dann haben wir getanzt. Ich habe erst natürlich mit meiner Frau getanzt und auch alle anderen haben sehr viel getanzt. Es war eine sehr lustige Hochzeit.

2. Meine Hochzeit war nicht so groß. Ich habe nicht so viele Verwandte und mein Mann wollte nicht groß feiern. Deshalb haben wir nur vier Freunde eingeladen und natürlich waren unsere Eltern auch da. Wir waren auf dem Standesamt, haben Ringe getauscht und sind dann Essen gegangen. Danach sind wir sofort weggefahren. Wir haben unsere Hochzeitsreise nach Australien gemacht. Das war wunderschön.

20

◀ Sie sind immer so freundlich!
◀ Danke schön, Sie auch.
◀ Die Hose steht dir super!
◀ Wirklich? Das ist nett von dir.
◀ Ihr Kind ist immer so höflich.
◀ Meinen Sie?
◀ Du siehst heute fantastisch aus!
◀ Danke, du auch.

Neue Chancen

10

◀ Guten Tag, Herr Gause.
◀ Guten Tag, Frau Speckowius. Nehmen Sie doch bitte Platz.
◀ Danke. Ich bin heute gekommen, weil ich mich über meine Berufschancen und Stellenangebote informieren möchte. Ich mache jetzt einen Computerkurs über Office-Anwendungen. Der Kurs dauert bis Ende Februar.
◀ Haben Sie sich schon bei einer Firma beworben?
◀ Ja, bei Siemens, aber ich warte noch auf die Antwort. Haben Sie vielleicht noch andere Stellenangebote?
◀ Ja, einen Moment ... Suchen Sie eine Vollzeitstelle?
◀ Nein, ich möchte in Teilzeit arbeiten.
◀ Dann kann ich Ihnen noch zwei Adressen geben ...

15

◁ Berger-Institut, mein Name ist Kattwitz, guten Tag.

◁ Guten Tag, mein Name ist … Ich interessiere mich für den Computerkurs am Donnerstag.

◁ Es tut mir leid, der Kurs am Donnerstag ist schon voll. Können Sie auch am Dienstag?

◁ Ist am Dienstag nicht der Kurs für Anfänger? Ich möchte einen Kurs für Fortgeschrittene machen.

◁ Wir haben am Dienstag einen neuen Fortgeschrittenenkurs.

◁ Dann möchte ich mich gern für diesen Kurs anmelden. Kann ich das telefonisch machen?

◁ Nein, das ist leider nicht möglich. Sie müssen bei uns vorbeikommen und ein Formular ausfüllen. Wir haben Montag bis Freitag von 16 bis 19 Uhr geöffnet.

◁ Gut, dann komme ich gleich vorbei. Danke schön.

◁ Gern geschehen.

17a

… Und jetzt folgen Informationen zu unserem aktuellen Kursangebot: Der Computerkurs „Excel für Anfänger" beginnt am Montag, den 3. 5. um 19:30 Uhr, der Tanzkurs „Wiener Walzer" beginnt am Dienstag, den 11. 5. um 17:30 Uhr und der Deutschkurs für Fortgeschrittene beginnt am Donnerstag, den 13. 5. um 9 Uhr.

17b

◁ Sprachinstitut Müller, mein Name ist Reiter, guten Tag.

◁ Guten Tag, mein Name ist Bielski. Ich interessiere mich für einen Englischkurs.

◁ Haben Sie schon bei uns einen Kurs gemacht?

◁ Nein, noch nicht. Ich habe privat gelernt.

◁ Dann müssen Sie bitte vorbeikommen und einen Test machen, damit wir den richtigen Kurs für Sie herausfinden.

◁ Wann kann ich kommen?

◁ Unser Büro ist montags bis freitags von 10 bis 12 Uhr und donnerstags auch am Nachmittag von 16 bis 18 Uhr geöffnet. Sie können jederzeit ohne Anmeldung vorbeikommen.

◁ Und wann fangen die neuen Kurse an?

◁ In drei Wochen, am 4. 10. ist Kursanfang. Die Kurse dauern dann drei Monate.

◁ Gut, dann komme ich in der nächsten Woche bei Ihnen vorbei. Ich danke für Ihre Information. Auf Wiederhören.

◁ Gern geschehen. Auf Wiederhören.

LEKTION **9 Gesund leben**

7

◁ Guten Tag, ich möchte aus Ihrem Programm „Gesund und fit" einen Kurs machen.

◁ Das freut uns sehr. Wir haben ein großes Angebot an Sportkursen. Oder hier ein Ernährungskurs „Wie esse ich gesund?".

◁ Hm … Wann und wo findet der Kurs statt?

◁ Jeden Montagabend.

◁ Oh, am Montag kann ich nicht. Gibt es auch Kurse gegen Stress?

◁ Ja, hier der Yogakurs. Dort ist noch ein Platz frei. Der Kurs ist jeden Freitag.

◁ Schön, das passt. Wie kann ich mich anmelden?

◁ Hier ist die Telefonnummer, da müssen Sie anrufen.

◁ Und was kostet der Kurs? Hier steht 75 Euro – das ist ziemlich teuer.

◁ Nun, Sie müssen die 75 Euro bezahlen, aber wenn Sie regelmäßig kommen, dann bekommen Sie Ihr Geld von der Krankenkasse zurück.

14

◁ Guten Tag, was kann ich für Sie tun?

◁ Ich habe starken Husten.

◁ Waren Sie schon beim Arzt?

◁ Nein, noch nicht. Können Sie mir Medikamente empfehlen?

◁ Ja, natürlich. Diese Tabletten zum Beispiel sind sehr gut.

◁ Haben die Tabletten Nebenwirkungen?

◁ Eigentlich nicht. Man kann manchmal leichte Magenprobleme bekommen.

◁ Wie oft muss ich die Tabletten nehmen?

◁ Zweimal täglich, nach dem Frühstück und nach dem Abendessen.

◁ Vielen Dank. Auf Wiedersehen.

16a

1. Wie entspanne ich mich? Na ja ... Wenn ich Stress habe, dann hilft nur eins: Ich hole mein Fahrrad aus dem Keller und mache eine schöne Radtour.

2. Stress habe ich selten. Ich habe ein Hobby: die Gartenarbeit. Im Garten entspanne ich mich sehr. Neue Blumen pflanzen, sehen, wie alles wächst, das finde ich gut.

3. Wenn ich Stress habe, gehe ich sehr gern spazieren. Das hilft mir auch, wenn ich mal nicht einschlafen kann. Wir haben einen wunderschönen Park bei uns in der Nähe, dort gehe ich immer mit meinem Hund spazieren.

4. Was mir gut tut? Hm, wenn ich etwas schwierig finde, telefoniere ich immer mit meiner Freundin. Wir telefonieren oft stundenlang! Oder wir treffen uns, trinken einen Kaffee und sprechen, sprechen und sprechen.

LEKTION 10 **Arbeitssuche**

3b

◁ Guten Tag, meine Damen und Herren. Unser Thema heute ist: Bewerbungen. Wir haben Menschen gefragt, wie sie ihre Arbeit gefunden haben. Frau Blohm, wie war es bei Ihnen?

◁ Ich habe meine Ausbildung zur Hotelfachfrau in Kassel gemacht und dann noch ein Jahr in dem Hotel gearbeitet. Aber dann hat das Hotel geschlossen und ich habe meine Arbeit verloren. Gestern habe ich eine Anzeige von einem Hotel in Fulda gefunden. Morgen schicke ich meine Bewerbungsmappe ab. Hoffentlich bekomme ich eine Einladung zu einem Vorstellungsgespräch.

◁ Und Sie, Frau Yilmaz?

◁ Ich mache in vier Wochen den Realschulabschluss. Ich will Erzieherin werden. Vor drei Monaten war in der Zeitung eine Anzeige für ein Praktikum in einer Kindertagesstätte und ich habe dort angerufen. Ich hatte dann ein sehr gutes Vorstellungsgespräch und mache im Sommer das Praktikum. Vielleicht kann ich dort auch meine Ausbildung machen.

◁ Herr Gees, wo arbeiten Sie und wie haben Sie Ihre Stelle gefunden?

◁ Ich habe zehn Jahre in der Modeabteilung von einem Kaufhaus gearbeitet. Aber dann hatte ich Probleme mit meinem Chef und habe eine andere Arbeit gesucht. Ich habe viele Bewerbungen geschickt. Dann hat ein Modegeschäft einen Verkäufer mit Berufserfahrung gesucht und ich habe die Arbeit bekommen. Die Arbeit ist jetzt viel interessanter und ich verdiene mehr.

14

◁ Supermarkt Haas. Gaby Rossmann am Apparat. Was kann ich für Sie tun?

◁ Ich habe gelesen, dass Sie Aushilfen für die Weihnachtszeit suchen.

◁ Ja. Wir suchen noch eine Aushilfe für den Nachmittag. Haben Sie da Zeit?

◁ Ja, das geht. Wie sind die Arbeitszeiten genau?

◁ Von 16 bis 18 Uhr. Haben Sie schon als Aushilfe gearbeitet?

◁ Ja, in einem Supermarkt.

◁ Können Sie morgen Abend um 19 Uhr vorbeikommen?

◁ Gern. Wie ist Ihre Adresse?

17

◁ Also, Herr Engström. Erzählen Sie doch bitte. Wo haben Sie bisher gearbeitet?

◁ Nach meiner Ausbildung im Hotel Elbufer habe ich ein Jahr im Hotelrestaurant gearbeitet. Dann habe ich im Restaurant Vier Jahreszeiten in Dresden angefangen. Die Arbeit war sehr interessant.

◁ Können Sie mir etwas über das Restaurant und die Gäste in dem Restaurant sagen?

◁ Das Restaurant „Vier Jahreszeiten" hat drei Sterne. Es ist also ein sehr gutes Restaurant mit Spezialitäten aus Frankreich. Die Gäste waren fast nur Touristen aus Deutschland oder aus anderen Ländern und ich musste oft auch Englisch sprechen.

◁ Welche Aufgaben hatten Sie?

◁ Neben den normalen Aufgaben in meinem Beruf, also Reservierungen, Bestellungen notieren und Essen und Getränke servieren habe ich die Gäste auch beraten, zum Beispiel über unsere Weine.

◁ Wenn Sie bei uns Restaurantchef werden, haben Sie natürlich noch andere Aufgaben. Sie müssen zum Beispiel ...

18

1. Wie lange haben Sie Deutsch gelernt?
2. Haben Sie eine Deutschprüfung gemacht?
3. Wie gut können Sie auf Deutsch schreiben?
4. Wo haben Sie in Deutschland schon gearbeitet?

LEKTION  **11 Von Ort zu Ort**

3

◁ Guten Tag, meine Damen und Herren. Ich stehe hier am Hauptbahnhof von Bochum und mache Interviews mit Reisenden. Darf ich Sie kurz stören?

◁ Ja, bitte?

◁ Sie sind gerade mit dem ICE angekommen. Darf ich fragen, woher Sie kommen?

◁ Meine Frau und ich haben einen kleinen Urlaub in Berlin gemacht, vier Tage.

◁ Hat Ihnen die Reise gefallen?

◁ Ja, es war toll. Ich habe mich sehr gefreut, denn meine Eltern haben uns die Reise geschenkt. Wir haben viel gesehen. Wir waren im Reichstag und auf dem Potsdamer Platz und wir haben eine Stadtrundfahrt gemacht. Wir haben auch Museen besucht. Unser Hotel war sehr gemütlich. Abends haben wir immer im Restaurant gegessen. Wir wollen bald wieder nach Berlin fahren.

◁ Vielen Dank. Und Sie? Darf ich Sie auch fragen, woher Sie kommen?

◁ Ich komme gerade vom Flughafen in Frankfurt. Ich war in Moskau in Russland. Das war eine Geschäftsreise, denn meine Firma hat viele Kontakte mit Russland. Aber ich habe nicht nur gearbeitet. Ich bin in Russland geboren und vor zwölf Jahren nach Deutschland gekommen. Ich habe viele Verwandte in Moskau. Die habe ich auch besucht. Die Reise war anstrengend und ich bin jetzt sehr müde, aber es war auch schön.

19

◁ Notrufzentrale, ja bitte?

◁ Guten Tag, mein Name ist ... Ich habe eine Autopanne.

◁ Wo sind Sie genau?

◁ Ich bin auf der A5. Auf der Notrufsäule steht Kilometer 228.

◁ Wo steht Ihr Auto?

◁ Es steht direkt neben der Notrufsäule.

◁ Gut, bleiben Sie, wo Sie sind. Der Pannendienst kommt in wenigen Minuten.

22

1. Kaufst du die Fahrkarten?
2. Wie lange wollen wir verreisen?
3. Ich schlage vor, wir fahren nach Borkum.
4. Ich kann die Unterkunft reservieren.

LEKTION  **12 Treffpunkte**

7

1. In unserem Verein sind viele Mitglieder aktiv. Wir treffen uns das ganze Jahr, aber ab November sind wir besonders aktiv. Und natürlich dann im Januar und Februar. Wir haben viele Tanzgruppen für die kleinen Mädchen, für die Erwachsenen eine Rock'n Roll-Gruppe, die Musikgruppe und dann bereiten wir natürlich die Sitzungen und den Zug vor. Es ist viel Arbeit, aber es macht auch viel Spaß. Ich freue mich immer auf unser großes Fest im Februar.

2. In meinem Verein gibt es viele verschiedene Gruppen. Ich kenne die meisten gar nicht. Ich gehe nur jede Woche einmal zu meiner Gymnastik. Bei der Arbeit muss ich immer viel sitzen und ich habe oft Rückenschmerzen. Deshalb ist es ganz wichtig für mich, dass ich regelmäßig Sport mache. Diese Gruppe ist genau richtig für mich. Wir sind ungefähr fünfzehn Frauen und machen eine Stunde Gymnastik mit Musik, das macht Spaß und tut mir gut.

8b

1. ◁ Wie viele Menschen leben in Deutschland?
   ◁ Deutschland hat ungefähr 82 Millionen Einwohner.
2. ◁ Wie viele Mitglieder haben die Fußballvereine in Deutschland?
   ◁ Die Fußballvereine in Deutschland haben 6 800 000 Mitglieder.

◖ Sind auch Mädchen und Frauen Mitglied im Fußballverein?

◖ Ja, natürlich, viele Mädchen spielen heute auch Fußball, selbstverständlich nicht so viele wie Jungen, aber wir haben mehr als eine Million Mädchen und Frauen in Fußballvereinen.

3. ◖ Wie viele Menschen leben in Berlin?

◖ Berlin hat mehr als 3 400 000 Einwohner. Dazu kommen noch fast 260 000 Pendler, also Menschen, die jeden Tag zur Arbeit nach Berlin kommen. Und natürlich haben wir viele Touristen, ungefähr eine halbe Million pro Monat, die meisten kommen aus dem Ausland, aber natürlich kommen auch viele Touristen aus anderen deutschen Städten.

18

◖ Bürgeramt Paderborn, mein Name ist Lange, guten Tag.

◖ Guten Tag, mein Name ist ... Ich möchte bitte mit Frau Steiner sprechen.

◖ Einen Moment, ich verbinde.

◖ Steiner?

◖ Guten Tag, mein Name ist ... Können Sie mir sagen, was ein Stand auf dem Straßenfest kostet?

◖ Tut mir leid, für die Standmiete bin ich nicht zuständig, das macht meine Kollegin Frau Antes.

◖ Können Sie mich mit ihr verbinden?

◖ Ja, gern ... Hallo? Hören Sie, bei Frau Antes ist gerade besetzt, rufen Sie doch später noch einmal an.

◖ Können Sie mir die Durchwahl geben?

◖ Das ist die 255.

◖ 255, vielen Dank, auf Wiederhören.

◖ Gern geschehen, auf Wiederhören.

6a

1. ◖ Guten Tag, Frau Braszka, was kann ich für Sie tun?

◖ Guten Tag, Herr Gasior. Ich möchte an die Firma Meier 179 Euro überweisen.

◖ Haben Sie das Überweisungsformular ausgefüllt?

◖ Noch nicht. Können Sie mir helfen?

◖ Gern. Der Betrag – 179 Euro – geht also an die Firma Meier, Volksbank ... Wissen Sie die Bankleitzahl?

◖ Ja, das ist die 10090000.

◖ Gut. Jetzt bitte noch die Kontonummer.

◖ 3028204.

◖ Jetzt müssen Sie nur noch unterschreiben ...

2. ◖ Guten Morgen.

◖ Guten Morgen, ich möchte gern 150 Euro von meinem Konto abheben. Der Automat funktioniert aber nicht.

◖ Ja, unser Mitarbeiter kümmert sich schon. So, Sie müssen zuerst hier das Formular ausfüllen ...

3. ◖ Ich möchte 100 Euro in Dollar wechseln.

◖ Gern. Da müssen Sie aber zu dem Schalter dort hinten gehen. Bei mir können Sie nur Geld abheben, einzahlen oder überweisen.

◖ Aha, danke schön.

13

◖ Guten Tag, kann ich Ihnen helfen?

◖ Guten Tag, ich interessiere mich für einen DVD-Player.

◖ Wir haben diesen Monat den Mota RMD 80 im Angebot. Für nur 159 Euro.

◖ Das ist mir zu teuer. Haben Sie auch einen billigeren?

◖ Dann hätten wir hier den Boshita DS-940 für 69,99 Euro. Das ist wirklich ein Schnäppchen.

◖ Wie lange hat er Garantie?

◖ Zwei Jahre.

◖ Gut, ich nehme diesen DVD-Player.

15

◁ Wie finden Sie die Wohnung? Vier Zimmer, 90 qm!

◁ Ich weiß nicht, sie ist zu klein.

◁ Und der Park neben dem Haus ist sehr schön!

◁ Hm, aber die Vögel sind morgens bestimmt zu laut.

◁ Sie haben große Bäume direkt vor den Fenstern ...

◁ Na ja, die Zimmer sind bestimmt zu dunkel. Wie viel kostet die Wohnung?

◁ Die Warmmiete ist 500 Euro monatlich.

◁ Oh, das ist nicht teuer! Ich nehme die Wohnung.

LEKTION **14 Freunde und Bekannte**

2

1. Ich freue mich schon sehr auf die Fußballsaison. Meine Freundin Anika und ich interessieren uns schon seit Jahren für Fußball. Wir sehen uns auch oft Fußballspiele im Stadion an. Da ist was los! Wir treffen uns dort auch mit vielen anderen. Und wenn wir gewinnen, dann gibt es eine große Party. Wenn wir verlieren, na ja, da diskutieren wir über das Spiel, aber wir ärgern uns meistens nicht lange.

2. Ich kann mich auf meinen Freund Tim wirklich verlassen. Letzten Sommer hat sich meine Freundin von mir getrennt. Das war nicht so einfach für mich. Aber Tim und ich haben viel über mich und meine Freundin gesprochen – das war wichtig für mich und hat mir sehr geholfen.

11

Martin und ich haben auf der Arbeit oft die gleiche Schicht. Wenn wir zusammen arbeiten, kann ich mich auf ihn verlassen. Wir sind auch noch im gleichen Volleyball-Verein. Nach dem Training gehen wir manchmal noch in die Kneipe. Ich kann mit Martin über alles reden. Er ist ein super Freund.

Bild- und Quellenverzeichnis

Bildquellen:

Cover © Cornelsen Verlag, Miethe – **S. 4** © Fotolia, bsilvia (RF) – **S. 5** unten: © iStockphoto, Parnell (RF) – **S. 7** oben links: © iStockphoto, Abejon (RF); oben rechts: Wikimedia Commons, CC Attr. Sha 3.0, © Wolf; unten links: © Gemeindeverwaltung Calden; unten rechts: © Fotolia, bilderbox (RF) – **S. 13** links: © Fotolia, Euqirneto (RF); rechts: Wikipedia, gemeinfrei, © Lueers – **S. 16** links und rechts: © Fotolia, Eckgold (RF) – **S. 18** oben: Wikimedia Commons, GNU, © GeorgHH; unten: © Fotolia, ctacik (RF) – **S. 19** oben: © Fotolia, Kroener (RF); unten: © Fotolia, Dream-Emotion (RF) – **S. 21** oben: © iStockphoto, Schmidt (RF); unten: © Digitalstock, Jaksch (RF) – **S. 24** 3: © Fotolia, Arcurs (RF) – **S. 26** © Fotolia, arashamburg (RF) – **S. 28** © iStockphoto, Neudert (RF) – **S. 29** © iStockphoto, Pumba 1 (RF) – **S. 30** 1: © gid-right Ltd. & Co. KG; 2: © Fotolia, Lianem (RF); 3: © Zoo Duisburg; 4: © Duisburg Marketing GmbH – **S. 33** © iStockphoto, Chutka (RF) – **S. 35** links: © Fotolia, Karwowska (RF); 2. von links: © Pixelio, Delater; 2. von rechts: © Fotolia, Janni (RF); rechts: © Fotolia, Bumann (RF) – **S. 38** © iStockphoto, Rich (RF) – **S. 41** A: © iStockphoto, Basílio (RF); B: © iStockphoto, Parnell (RF); C: © iStockphoto, Swartz (RF) – **S. 48** 2. von links: © iStockphoto, Fatur (RF); 2. von rechts: © iStockphoto, Legg (RF); rechts: © iStockphoto, Tezak (RF) – **S. 49** links: © iStockphoto, kate (RF); rechts: © Corbis, Image Source (RF) – **S. 51** © Adpic, Arcurs (RF) – **S. 53** © Adpic, Rebmann (RF) – **S. 54** © Alamy (RF) – **S. 55** © Museum Frieder Burda – **S. 58** 1 und 2: © Jin – **S. 60** 1: © iStockphoto, Murillo (RF); 2: © Fotolia, pressmaster (RF); 3: © Fotolia, Telemann (RF) – **S. 62** oben: © Fotolia, Tilly (RF); unten: © Fotolia, Figge (RF) – **S. 68** links: © Colourbox (RF); rechts: © Pixelio, Cornerstone – **S. 71** 1: © Fotolia, chickenstock (RF); 2: © Fotolia, RRF (RF); 3: © Fotolia, Kroener (RF); 4: © Fotolia, cameraw (RF); 5: © Fotolia, yamix (RF); 6: © Fotolia, massi b (RF) – **S. 72** oben: © Digitalstock, Luger (RF); unten: © Digitalstock, Sterner (RF) – **S. 75** Karneval der Kulturen, © Incoronato – **S. 79** © Fotolia, Bcubic (RF) – **S. 82** 1: © iStockphoto, Schmidt (RF); 3: © Fotolia, deanm1974 (RF) – **S. 83** oben: © Digitalstock, Möbus (RF); 2. von unten: © iStockphoto, Krinke (RF); unten: © iStockphoto, Diederich (RF) – **S. 85** © iStockphoto, mammamaart (RF) – **S. 89** 1: © Fotolia, Amith (RF); 2: © Flickr, Suhling; 3: © Pixelio, tutto62; 4: © Fotolia, Rochau (RF); 5: © Fotolia, Otte (RF); 6: © Fotolia, Kzenon (RF); oben: © Fotolia, eclypse (RF); Mitte: © iStockphoto, Korenbaum (RF); unten: © iStockphoto, London (RF) – **S. 92** A: © Fotolia, pahham (RF); B: © Fotolia, Phototom (RF); C: © Fotolia, gwimages (RF); D: © Fotolia, van den Berg (RF) – **S. 97** A: © Digitalstock, Leitner (RF); B: © Fotolia, Monkey Business (RF); C: © Fotolia, Thoermer (RF); D: © Fotolia, Photosani (RF) – **S. 98** oben: © Fotolia, Arcurs (RF); unten: © iStockphoto, Martinez (RF) – **S. 99** links: © Fotolia, Pidjass (RF); Mitte: © Fotolia, Friis-Larsen (RF); rechts: © Fotolia, iofoto (RF) – **S. 102** © iStockphoto, endostock (RF) – **S. 103** © iStockphoto, Murillo (RF) – **S. 104** © Fotolia, fotodesign-jegg.de (RF) – **S. 105** links: © Fotolia, Klein (RF); rechts: © Fotolia, detailblick (RF) – **S. 107** © iStockphoto, Liljenquist (RF) – **S. 109** © iStockphoto, Sanderson (RF) – **S. 112** oben: © iStockphoto, Elisseeva (RF); unten: © Fotolia, Kzenon (RF) – **S. 113** © iStockphoto, DeLeon (RF) – **S. 114** 1: Wikimedia Commons, gemeinfrei, © Schneider/Aistleitner; 2: Wikipedia, GNU; © ProhibitOnions; 3: © Fotolia, Jürgen F. (RF); 4: © Fotolia, magann (RF) – **S. 117** © Digitalstock, Neugebauer (RF) – **S. 118** oben links: © Fotolia, Lorenz (RF); oben rechts: Wikimedia Commons, CC Attr. 2.0, © Kurtz; unten: © Fotolia, Ja-Do (RF) – **S. 119** © www.bahn.de – **S. 122** oben links: © Fotolia, Thoermer (RF); oben rechts: © Fotolia, Cunningham (RF); unten: © Fotolia, Leitner (RF) – **S. 126** 1: © Fotolia, Konstantynov (RF); 2: © Fotolia, FotoLyriX (RF); 3: © Fotolia, Adler (RF); 4: © Fotolia,

Tripod (RF) – **S. 128** 1: © Flickr, Walter; 4: © Fotolia, Dron (RF) – **S. 133** © iStockphoto, Yuce (RF) – **S. 136** 2: © iStockphoto, Hodge Photography (RF); A: © Fotolia, 2flui (RF); B: © Fotolia, michanolimit (RF); E: © Fotolia, Georghiou (RF); F: © Fotolia, Bagusat (RF) – **S. 141** links: © iStockphoto, Rovagnati (RF); © Fotolia, ZTS (RF) – **S. 146** 1: © Fotolia, mirpic (RF); 2: © iStockphoto, Briones (RF); 3: © Fotolia, Hewac (RF); 4: © 123rf.com, Shironosov (RF) – **S. 148** © iStockphoto, Jacobs (RF) – **S. 153** 1: © iStockphoto, Kashkin (RF); 2: © Fotolia, Monkey Business (RF); 3: © iStockphoto, Mitic (RF); 4: © Fotolia, Schwier (RF) – **S. 156** oben: © Fotolia, deanm1974 (RF) – **S. 158** oben: © Fotolia, stefanfister (RF) – **S. 162** 1. Reihe links: © Digitalstock, Lange (RF); 1. Reihe Mitte: © Fotolia, Ölei (RF); 1. Reihe rechts: © Fotolia, dinostock (RF); 2. Reihe links: © Fotolia, Digitalpress (RF); 2. Reihe Mitte: © Fotolia, istihza (RF); 2. Reihe rechts: © Fotolia, Eppele (RF); 3. Reihe links: © Fotolia, cameraw (RF); 3. Reihe Mitte: © Fotolia, kai-creativ (RF); 3. Reihe rechts: © Fotolia, chickenstock (RF); 4. Reihe links: © Pixelio, Hofschlaeger; 4. Reihe Mitte: © Fotolia, RRF (RF); 4. Reihe rechts: © Fotolia (RF); 5. Reihe links: © Fotolia, Fatman73 (RF); 5. Reihe Mitte: © iStockphoto, Petkov (RF); 5. Reihe rechts: © Cornelsen Verlag – **S. 163** 1. Reihe links: © iStockphoto, fotopsia (RF); 1. Reihe Mitte: © Pixelio, Leps; 1. Reihe rechts: © Fotolia, Laser (RF); 2. Reihe links: © Pixelio, Winter; 2. Reihe Mitte: © Wikimedia Commons, GNU; 2. Reihe rechts: © Digitalstock, Haab (RF); 3. Reihe rechts: © Pixelio, Rike; 3. Reihe Mitte: © Fotolia, Wawrzyn (RF); 3. Reihe rechts: © Pixelio, Hartmut910; 4. Reihe links: © Fotolia, danielschoenen (RF); 4. Reihe Mitte: © Pixelio, Sturm; 5. Reihe links: © Adpic, Lange (RF); 5. Reihe links: © Shutterstock, Smith (RF); 5. Reihe rechts: © iStockphoto, nullplus (RF) – **S. 164** © iStockphoto, e-rasmus (RF) – **S. 170** im Uhrzeigersinn: © Pixelio, Bermüller; © Pixelio, Weiss; Wikimedia Commons, GNU; © Fotolia, Khritin (RF); © Pixelio, siepmannH; Wikimedia Commons, gemeinfrei, © joho345; © Fotolia (RF)

S. 5 oben: © picture-alliance/dpa, Zucchi – **S. 6** © picture-alliance/dpa, Tschauner – **S. 9** © picture-alliance/ZB, Schindler – **S. 24** 1: © ullstein bild, Kujath; 2: © picture-alliance/dpa, Ossinger – **S. 48** links: © ullstein bild, ecopix – **S. 58** 3: © ullstein bild, joko – **S. 68** 2. von links: © picture-alliance/dpa, Altwein; 2. von rechts: © ullstein bild, Meißner – **S. 82** 2: © picture-alliance/dpa, Jensen – **S. 83** 2. von oben: © picture-alliance/Süddeutsche Zeitung Photo, Haas – **S. 128** 2: © picture-alliance/dpa/zb; 3: © picture-alliance/dpa, Melchert – **S. 136** 1: © mauritius images, age; 3: © picture-alliance, Gerig – **S. 137** © mauritius images, Ripp – **S. 158** unten: © mauritius images, The Copyright Group – **S. 163** 5. Reihe Mitte: © mauritius images, SuperStock

Textquellen:

S. 152 © www.trendmile.de

CD Inhalt

CD 1

Auf diesen CDs für die Lernenden finden Sie alle Hörtexte und Phonetikübungen zum Arbeitsbuch.

CD 2

A2

Deutsch als Zweitsprache
Pluspunkt Deutsch

Lösungen

1

1. Woher – **2.** Wo – **3.** Wie lange –
4. Welche – **5.** Wie – **6.** Wohin

4

einem – einem – einer

5

1. Sein – Seine – Sein – seine – Sein
2. Ihr – Ihr – ihr – Ihre

6

1. Er ist in Ghana und in Deutschland zur Schule gegangen.
2. Er hat gern Fußball gespielt.
3. Die Ärzte haben eine Herzkrankheit festgestellt.
4. Er hat in der Nationalmannschaft gespielt.
5. Er hat mit seiner Mannschaft den Pokal gewonnen.

7

sind – ist – hat – ist – hat – ist

8a

gewohnt – gemacht – abgeholt – gespielt –
besucht – verdient – gelernt – gearbeitet –
beantragt

8b

gekommen – gegangen – gefahren – geblieben –
umgezogen – mitgekommen

9

1. suchen – verdienen
2. kaufen – bezahlen
3. abfahren – ankommen

10

nach – in – bei – von ... nach – In

11 *Beispiel:*

Frau Tokaryk ist 2001 nach Deutschland gekommen. Sie hat zuerst in Dortmund bei Verwandten gewohnt. 2002 hat sie einen Deutschkurs gemacht. Dann hat sie 2003 eine Wohnung gefunden und ihr Mann ist auch nach Deutschland gekommen. 2004 hat Frau Tokaryk in Dortmund Arbeit gesucht. Sie hat 2005 in Bochum Arbeit gefunden und ist nach Bochum umgezogen.

12a

A 3 – B 1 – C 2 – D 4

12b

9 – 5 – 2 – 3 – 1 – 7 – 4 – 6 – 8

12c *Beispiel:*

Herr Sorokin ist 2007 nach Deutschland gekommen. Er hat zuerst in der Nähe von Kassel gewohnt. Er hat dort keine Arbeit gefunden. Dann ist er zu seinem Onkel nach Frankfurt umgezogen und hat einen Sprachkurs gemacht. Im Sprachkurs hat er viele nette Leute kennengelernt. Die Prüfung hat er beim zweiten Mal geschafft. Dann hat er auch eine Arbeit gefunden. Jetzt möchte er wieder als Ingenieur arbeiten.

13

mein – meine – unsere – Ihre

14

eure – unsere – unsere – ihre – unsere – eure

15

mein – dein – sein – ihr – unser – euer –
ihr – Ihr Stift
mein – dein – sein – ihr – unser – euer –
ihr – Ihr Heft
meine – deine – seine – ihre – unsere – eure –
ihre – Ihre Tasche
meine – deine – seine – ihre – unsere – eure –
ihre – Ihre Bücher

16

1. Ihre – **2.** dein – **3.** eure – **4.** Ihre – **5.** Ihre –
6. euer

17

Ihren – Ihre – Ihre – Ihr – Ihren – Ihre – meine –
Ihren – ihren

18

habe … studiert – habe … kennengelernt – haben …
geheiratet – habe … bekommen – sind … gegangen – sind … gekommen – haben … geholfen – haben … gewohnt – habe … gefunden – ist … geblieben

19 *Beispiel:*

1. Wie lange lernen Sie schon Deutsch? –
Seit einem Jahr.
2. Sprechen Sie viel mit Deutschen? –
Ich spreche nicht viel mit Deutschen.
3. Sehen Sie auch deutsche Filme im Fernsehen? –
Ja, ich sehe oft deutsche Filme.

20 *Beispiel:*

1. schwierig – einfach
2. lustig – wichtig – unwichtig
3. langsam – laut – schnell

21

1. sprichst – spreche – **2.** sprechen – **3.** spricht –
4. sprechen – spreche

22a

2. D – **3.** A – **4.** C

24a

D – C – A – E

25a

2. gemütlich – **3.** langweilig – **4.** laut –
5. schmutzig – **6.** modern

25b

links: groß – hektisch – interessant – laut –
schmutzig – modern
rechts: klein – gemütlich – langweilig – ruhig –
sauber – alt

26

2. behalten – **3.** verstehen – **4.** haben –
5. machen – **6.** lernen – **7.** schreiben – **8.** lesen –
9. besuchen

 LEKTION **2** **Medien**

1a

2. der Fernseher – **3.** die Zeitung –
4. das Handy / das Telefon – **5.** der Computer –
6. der MP3-Player

1b

hört – liest – hören – arbeitet – ruft … an

2a

1. morgens – **2.** vormittags – **3.** mittags –
4. nachmittags – **5.** abends

2b

2. Vormittags arbeite ich immer in einem Geschäft.
3. Mittags esse ich immer in der Kantine.
4. Nachmittags mache ich immer Sport.
5. Abends sehe ich immer fern.

2c

2. A – **3.** B – **4.** E – **5.** D

4

1. sieht Filme – **2.** chattet mit Freunden –
3. vergleicht Preise

5

2. weil sie mit dem Handy telefoniert.
3. weil er Musik hört.
4. weil sie im Internet surft.
5. weil sie fernsieht.

6a

2. F – **3.** A – **4.** C – **5.** E – **6.** B

6b

2. Warum surft sie im Internet? – Weil sie Urlaubsangebote sucht.
3. Warum packt sie den Koffer? – Weil sie morgen nach Griechenland fliegt.
4. Warum nimmt sie ein Abendkleid mit? – Weil sie abends ausgehen will.
5. Warum kauft sie ein Buch? – Weil sie im Urlaub lesen möchte.
6. Warum nimmt sie ihren MP3-Player mit? – Weil sie im Flugzeug Musik hören will.

7a

2. Maja lernt Französisch, weil sie in Paris studieren will.
3. Paulina lernt Englisch, weil ihr Freund aus den USA kommt.
4. Olaf lernt Norwegisch, weil er nach Norwegen geht.

7b

2. Maja lernt Französisch, denn sie will in Paris studieren.
3. Paulina lernt Englisch, denn ihr Freund kommt aus den USA.
4. Olaf lernt Norwegisch, denn er geht nach Norwegen.

8a

1. Er liest den Kindern vor.
2. Er holt die Kinder von der Schule ab.
3. Er kommt spät zurück.

8b

1. Er kann nicht fernsehen, weil er den Kindern vorliest.
2. Er fährt nicht nach Hause, weil er die Kinder von der Schule abholt.
3. Er ruft seine Frau an, weil er spät zurückkommt.

9 *Beispiel:*

1. Weil es regnet.
2. Weil er seine Familie abholt.
3. Weil er noch Auto fahren muss.
4. Weil sie am Morgen früh aufstehen muss.

10a

1. das Quiz – 2. die Nachrichten – 3. der Krimi – 4. der Fernsehfilm – 5. der Sport – 6. das Kinderprogramm – 7. der Tierfilm – 8. die Musiksendung

10b

1. – 2. – 5.

13

◖ Was kommt heute Abend im Fernsehen?
◖ Aber es gibt auch einen Film mit Julia Roberts.
◖ Um zehn.
◖ Na gut.

14 *Beispiel:*

◖ Wollen wir heute Abend fernsehen?
◖ Ja, gern. Was kommt denn?
◖ Es kommt ein Tierfilm, ein Quiz und ein Krimi.
◖ Wir können den Tierfilm sehen.
◖ Nicht so gern, ich möchte lieber den Krimi sehen.
◖ Ich habe eine Idee. Wollen wir lieber ausgehen?
◖ Ja, das ist viel besser.

15

1. Welche – 2. Warum – 4. Wann
1. B – 2. A – 3. D – 4. C

16a

Radio – Fernsehen – Bücher – Handy

16b

☺ 1. Radio – 3. Bücher

☹ 2. Fernsehen – 4. Handy

17a *Beispiel:*

Ich finde, dass der Winter sehr kalt ist.
Ich denke, dass man am Wochenende viel machen kann.
Ich finde es gut, dass alle Menschen in Deutschland ein Auto haben.
Ich finde es schlecht, dass Zugfahrkarten in Deutschland sehr teuer sind.
Es ist nicht gut, dass man nur schwer eine Wohnung findet.

17b

1. Ich finde, dass der Winter in Norwegen noch kälter ist.
2. Ich bin dagegen, dass alle ein Auto haben.
3. Ich bin dafür, dass die Menschen mehr Fahrrad fahren.

18

☺ Es ist gut, dass ... – Ich bin dafür, dass ... – Ich finde es gut, dass ...

☹ Ich finde es schlecht, dass ... – Es ist schlecht, dass ... – Ich bin dagegen, dass ...

20

Zuerst schaltet man den Computer ein. Dann öffnet man ein neues Word-Dokument. Danach schreibt man den Text und druckt den Brief aus. Dann speichert man die Datei. Danach schließt man die Datei und schaltet den Computer aus.

22a

D – E – B – C – A

22b

1. Integrationskurse haben Erfolg
2. Schneechaos in München

22c

1. 500.000 Migranten haben die Sprach- und Orientierungskurse besucht.
2. Weil Schnee und Glatteis den Verkehr behindert haben.

23

D – G – B – C – F – A – E

24

1. hören – 2. anrufen – 3. einschalten –
4. anmelden – 5. abholen

LEKTION 3 Endlich Wochenende

1

1. Picknick machen – spazieren gehen
2. einkaufen – essen gehen
3. tanzen – Freunde treffen

2

1. im Restaurant. – 2. Im Park oder im Garten. – 3. Im Kaufhaus. – 4. In der Disko.

3a

A Sa – C Sa – D So – E So – F So

3b

Dann trifft sie Freunde und geht ins Kino. Sonntags kocht sie. Dann geht sie spazieren oder liest ein Buch.

4a

2. Jan geht ins Café. – 3. Jan geht in die Disko. –
4. Jan geht ins Fußballstadion.

4b

ins Café – in die Disko – ins Fußballstadion

4c

Hallo Ema,
ich bin schon zwei Tage in Berlin. Hier kann man wirklich viel machen. Gestern bin ich in die Stadt gegangen. Danach bin ich ins Café gegangen und habe dort Zeitung gelesen und Kaffee getrunken. Am Abend bin ich in die Disko gegangen, dort habe ich Joachim kennengelernt. Heute sind wir ins Fußballstadion gegangen und haben ein Fußballspiel gesehen. Jetzt bin ich müde und gehe ins Bett.
Liebe Grüße
dein Jan

5a

die Blumen – das Glas – der Löffel – das Messer – die Gabel – der Teller – die Serviette

5b *Beispiel:*

Das Messer ist neben der Gabel. Der Löffel ist zwischen den Blumen und dem Glas. Die Gabel ist links neben dem Messer. Der Teller ist links neben der Gabel. Das Glas steht auf dem Tisch. Die Serviette ist auf dem Teller. Die Blumen sind links neben dem Löffel.

6
1. Die Katze steht zwischen den Stühlen.
2. Die Katze läuft unter den Tisch. – Die Katze liegt unter dem Tisch.
3. Die Katze springt auf die Bank. – Die Katze liegt auf der Bank.
4. Die Katze springt auf den Tisch. – Die Katze sitzt auf dem Tisch.

7
wo: unter dem Tisch, auf der Bank, neben dem Glas, zwischen den Stühlen
wohin: unter den Tisch, auf die Bank, neben das Glas, zwischen die Stühle

8
am See – auf die Terrasse – im Kino – Ins Kino – in der Disko

10
1. Nein – Doch
2. Ja – Nein – Doch

12
keine – Doch – kein – Doch – nicht – Doch

13 *Beispiel:*
Hallo Max! Doch ich habe Zeit, aber ich möchte lieber ins Schwimmbad gehen. LG Tina

14
1. reservieren – 2. bestellen – 3. bezahlen

15
1. B – 2. B – 3. A

16
1. Wir möchten gern bestellen.
2. Was ist das: Matjesfilet? – Ich nehme das Gulasch mit Kartoffeln. – Ein Mineralwasser, bitte.

3. Ich möchte zahlen, bitte. – Stimmt so.

17
1. Spaghetti – 2. Fisch – 3. Kaffee – 4. Pommes – 5. Rotwein – 6. Tomatensuppe – 7. Eis – 8. Apfelstrudel – 9. Bier – 10. Hähnchen

18a
1 – 3 – 4

18b
1. Wann fängt die Zoosafari an?
2. Wo ist der Flohmarkt?
3. Wann ist das Weinfest?
4. Was gibt es im Landschaftspark?

18c
1. Falsch – 2. Richtig – 3. Richtig – 4. Falsch

20
1. Seit einem Monat. – 2. Am Rhein spazieren gehen. – 3. In der Altstadt. – 4. Weil er für seine Deutschprüfung lernt.

22 *Beispiel:*
die Speisekarte – das Glas – der Teller – die Gabel – das Messer – die Serviette – der Gast – der Tisch

23
links: reserviert – Speisekarte – bestellen
rechts: Rechnung – getrennt oder zusammen – macht – stimmt so

24
1. B – 2. A – 3. E – 4. C
Beispiel:
Ich verbringe den Sonntag mit meiner Familie.
Am Samstag feiern wir ein Fest.
Ich habe die Prüfung bestanden.
Max geht gern ins Fitnessstudio.

LEKTION 4 **Schule**

1a

die Hausaufgaben – der Schüler – der Unterricht – die Musik – die Ferien – die Pause – der Lehrer – die Noten – der Schulhof

1b *Beispiel:*

2. Mein Lehrer war freundlich.
3. Ich hatte viel Hausaufgaben.
4. In meiner Heimat hatte man lange Ferien.
5. In der Pause waren wir auf dem Schulhof.

2

1. Englisch – **2.** Deutsch – **3.** Biologie – **4.** Kunst – **5.** Geschichte – **6.** Mathematik

3a

1. die Kita – **2.** die Grundschule – **3.** die Realschule – **4.** die Berufsschule

3b

Dann ist sie in die Grundschule gekommen. Nach vier Schuljahren ist sie in die Realschule gegangen. Danach hat sie eine Ausbildung gemacht und ist zwei Tage in der Woche in die Berufsschule gegangen.

4

1. Richtig – **2.** Falsch – **3.** Richtig

5a

2. D – **3.** C – **4.** A

5b

1. Wenn er eine Zwei in Mathe hat, dann kann er aufs Gymnasium gehen.
2. Wenn er studieren will, dann muss er gute Noten haben.
3. Wenn er Arzt werden will, muss er studieren.
4. Wenn er Arzt ist, verdient er gut.

6

1. macht – geht
2. schafft – geht
3. machen – will – muss
4. machen – will – kann

7

1. Wenn du nicht aufräumst – **2.** Wenn du nicht anrufst – **3.** Wenn das Wetter schlecht ist – **4.** Wenn ich zu viel arbeiten muss – **5.** Wenn du mir nicht zuhörst

8

2. Du kannst eine Entschuldigung schreiben, wenn du einen Termin hast.
3. Du kannst in der Firma anrufen, wenn du die Stelle haben willst.
4. Du musst mehr lernen, wenn du bessere Noten haben möchtest.
5. Du kannst den Lehrer fragen, wenn du etwas nicht verstehst.

9

2. Gehen Sie zum Arzt, wenn Sie Fieber haben.
3. Essen Sie weniger, wenn Ihre Hose zu klein ist.
4. Gehen Sie spazieren, wenn Sie nicht schlafen können.
5. Machen Sie Sport, wenn Sie nicht fit sind.

11

3: befriedigend – 2: gut – 5: mangelhaft – 6: ungenügend – 1: sehr gut – 4: ausreichend

12

1. Falsch – **2.** Richtig

13

1. A – **2.** B – **3.** B – **4.** A

14

wollten – musste – durften – konnte

15

wollen: ich wollte – du wolltest – er/es/sie/man wollte – wir wollten – ihr wolltet – sie/Sie wollten
dürfen: ich durfte – du durftest – er/es/sie/man

durfte – wir durften – ihr durftet – sie/Sie durften

müssen: ich musste – du musstest – er/es/sie/man musste – wir mussten – ihr musstet – sie/Sie mussten

können: ich konnte – du konntest – er/es/sie/man konnte – wir konnten – ihr konntet – sie/Sie konnten

16
1. konnte – musste – wollte
2. durften – mussten/durften – durften
3. wollten – wollte – konnte

17a
1. Richtig – 2. Falsch – 3. Richtig – 4. Falsch

17b Beispiel:
1. Sie musste viel lernen.
2. Sie durfte die Hausaufgaben nicht in der Schule machen.
3. Sie konnte verschiedene Nachmittagskurse wählen.
4. Sie wollte am Nachmittag schwimmen gehen.
5. Wenn es heiß war, durfte sie nicht an den Strand gehen.

19a
1. ins Theater – 2. um 9.00 Uhr – 3. um 12.00 Uhr – 4. 4 € – 5. Sie können Ihr Kind direkt vom Theater abholen. / geht es in die Schule zurück – 6. geben ihn Ihrem Kind mit

19b
2. Die Schüler sollen um 9.00 Uhr in der Schule sein.
3. Das Theaterstück ist um 12.00 Uhr zu Ende.
4. Die Schüler müssen 4 € bezahlen.
5. Die Schüler gehen nach dem Theaterstück nach Hause oder in die Schule zurück.
6. Die Kinder sollen den Abschnitt der Lehrerin geben.

20
1. Klassenfahrt – 2. Taschengeld –
3. Elternabend – 4. Ausflug – 5. Schulfest

22a
B – C – A

22b
China: 6 Jahren – 6 Jahre – 14 Wochen
Simbabwe: 6 Jahren – 7 Jahre – 3 Monate
Türkei: 6 Jahren – 5 Jahre – 3 Monate

23
die Schulklasse – das Schulheft – das Schulbuch – die Schultasche – der Schulbus – das Schulfest – der Schulhof

24a
1. die Schule: besuchen
2. das Abitur: machen – schaffen
3. den Abschluss: machen – schaffen
4. den Test: schreiben
5. die Prüfung: schaffen – schreiben – machen

24b Beispiel:
2. Sie besucht gern die Schule. – 3. Tim macht seinen Abschluss. – 4. Ich schreibe morgen einen Test. – 5. Er hat die Prüfung geschafft.

STATION 1

1a
1. Beispiel:
Ich komme aus Ghana. – Ich wohne in Kassel. – Ich habe eine Arbeit gefunden. – Meine Verwandten wohnen in Bremen.
2. Beispiel:
Schreiben ist für mich wichtig. Ich lerne am besten, wenn ich Übungen mache. Ich lerne gern mit Wortkarten.
3. Beispiel:
Ich finde, dass viele Kindersendungen gut sind. Ich finde es wichtig, dass Kinder nicht zu viel fernsehen. Ich denke, dass das Internet mehr Informationen bietet als das Fernsehen.
Für mich ist das Internet wichtig, weil ich mit meinen Freunden chatten kann.
Ich sehe selten fern, weil ich lieber Bücher lese.
4. öffnet – wählt … aus – schreibt – schickt … ab – schließt

5. *Beispiel:*

Samstags gehe ich in den Supermarkt und kaufe ein. Dann gehe ich ins Schwimmbad.

Sonntags mache ich eine Fahrradtour. Danach gehe ich ins Kino.

6. *Beispiel:*

◖ Ja, ich hätte/möchte gern das Steak mit Pommes Frites.

◖ Ich nehme eine Fanta, bitte.

7. Grundschule – Hauptschule – Realschule – Gymnasium – Gymnasium – Universität – Hauptschule – Realschule – Berufsschule

8. *Beispiel:*

In der Schule musste ich Schulgeld bezahlen. – Ich durfte aufs Gymnasium gehen. – Ich wollte studieren. – Ich konnte mein Abitur machen.

Prüfungsvorbereitung DTZ: Hören

Teil 1

1. B – **2.** C – **3.** A – **4.** B

Teil 2

5. C – **6.** C – **7.** A – **8.** A – **9.** B

Teil 3

10. Richtig – **11.** A – **12.** Richtig – **13.** C – **14.** Falsch – **15.** B – **16.** Falsch – **17.** A

LEKTION **5** **Am Arbeitsplatz**

1

2 – 1 – 4 – 3

der Polizist – der Pilot – die Erzieherin – der Busfahrer

2

1. Busfahrer – Arzt
2. Friseurin – Köchin
3. Ingenieur – Mechatroniker

4a

1. Wie lange sind Sie heute im Büro?
2. Wo bekomme ich einen Büroschlüssel?
3. Wann kommt Herr Boie heute?
4. Warum kommen Sie so spät?

4b

2. wo ich einen Büroschlüssel bekomme?
3. wann Herr Boie heute kommt?
4. warum Sie so spät kommen?

5

1. wie schnell Sie gefahren sind?
2. warum Sie nicht sofort angehalten haben?
3. wann Sie den Führerschein gemacht haben?
4. was Sie in der Tasche haben?

6

2. Warum habt ihr so lange telefoniert?
3. Wann kommt er morgen?
4. Wie alt sind Sie?

7a

1. Wisst – weiß – Weißt – weiß
2. Wissen – weiß – weiß – wissen

7b

ich weiß – du weißt – er/es/sie/man weiß – wir wissen – ihr wisst – sie/Sie wissen

8

2. Können Sie mir sagen, wie lange der Film dauert? – Ja, er dauert zwei Stunden.
3. Darf ich fragen, wohin Sie in Urlaub fahren? – Ja, ich fahre nach Frankreich.
4. Weißt du, wie viel das Auto kostet? – Ja, es kostet 25.000 Euro.
5. Kannst du mir sagen, wann das Quiz anfängt? – Ja, es fängt um 20.15 Uhr an.

9 *Beispiel:*

◖ Wissen Sie, wie viel Uhr es ist?

◖ Ja, es ist 19.46 Uhr.

◖ Weißt du, wo meine Schuhe sind?

◖ Ja, sie sind unter dem Bett.

◖ Weißt du, wie teuer das Kleid ist?

◖ Ja, es kostet 39,90 Euro.

10

1. Weil er einen Termin in Hamburg hat.
2. Am Donnerstag.

11

1. ihr – 2. ihm – 3. ihnen

12

1. mir – dir – 2. uns – euch – mir – 3. ihnen –
4. ihm – 5. ihr – 6. Ihnen

13

Sie – ihn – sie – ihr – sie – ihm – Er

14

links:

Liebe Frau Luttich,

wir müssen noch einen Tisch im Restaurant reservieren. Können Sie das bitte machen?

Vielen Dank

Jürgen Güntner

rechts:

Hallo Ute, wir gehen heute in die Disko. Kommst du
mit?

Grüße, Bernd

15 *Beispiel:*

1. Liebe Frau Melk,
   der Briefträger hat bei mir ein Paket für Sie
   abgegeben. Sie können das Paket morgen
   abholen.
   Viele Grüße

2. Hallo Bernd,
   ich arbeite am Computer und verstehe das
   Computerprogramm nicht. Könntest du mir
   bitte helfen?
   Vielen Dank

16 *Beispiel:*

Hallo Pia, ich habe den Zug verpasst und komme
später nach Hause. LG Markus

17

1. C – 3. D – 4. B

18

2. Diese. – 3. Dieser. – 4. Diese.

19

1. welches – Dieses
2. diesen – diese – dieser – diesen – Welchen

20

21

Dialog 1:

◖ Guten Morgen, Herr Neuner, hier ist Luisa Rein.
   Ich bin krank und bleibe heute zu Hause.

◖ Ja, gut. Gehen Sie zum Arzt?

◖ Ja, ich schicke dann eine Krankschreibung.

◖ Gut, dann gute Besserung!

◖ Vielen Dank!

Dialog 2:

◖ Nein, ich hatte noch keine Zeit. Ich war an der
   Kasse.

◖ Dann machen Sie es jetzt, bitte.

◖ Soll ich danach wieder an die Kasse gehen?

◖ Ja, bitte.

22

◖ Entschuldigung, ist der Platz noch frei?

◖ Nein, früher habe ich in der Abteilung in Hamburg gearbeitet.

◖ In Hamburg war es nicht schlecht, aber hier ist es
   interessanter.

◖ Ich heiße Doreen Berten.

24

1. Am 17.7. – 2. Nach Baden-Baden. – 3. Das
Burda Museum. – 4. Die Firma. – 5. Einen Spaziergang durch die Stadt.

25

3 – 1 – 4 – 2

26a

2. Erzieher/Erzieherin – 3. Busfahrer/Busfah-
rerin – 4. Florist/Floristin – 5. Polizist/Polizis-
tin – 6. Mechatroniker/Mechatronikerin

26b

1. Erzieher/Erzieherin – **2.** Pilot/Pilotin –
3. Polizist/Polizistin –
4. Mechatroniker/Mechatronikerin –
5. Florist/Floristin – Busfahrer/Busfahrerin

27

1. eine Mitteilung: schreiben – lesen
2. ein Formular: ausfüllen – lesen
3. Bescheid: sagen
4. einen Termin: verschieben

LEKTION **6** **Wohnen nach Wunsch**

1a *Beispiel:*

1. Sie wohnen in einem Haus. Sie wohnen außerhalb und haben einen Garten. Es ist ruhig.
2. Sie wohnen in der Innenstadt. Die Wohnung hat einen Balkon. Es gibt einen Hof und einen Spielplatz.
3. Sie wohnen zentral. Es gibt viele Geschäfte in der Nähe. Es ist laut.

1b

2 – 3 – 1

1c *Beispiel:*

1. weil sie schön groß und sehr hell ist.
   weil hinter dem Haus ein Hof mit einem Spielplatz ist.
2. weil sie ziemlich zentral liegt.
   weil es Kinos und Restaurants in der Nähe gibt.
3. weil ein großer Garten hinter dem Haus ist.
   weil es nicht viele Autos gibt.

2

1. einer – einem – **2.** einem – einer – einem –
3. dem – der

3 *Beispiel:*

In der Stadt gibt es mehr Geschäfte als auf dem Land.
In der Stadt findet man leichter Arbeit als auf dem Land.
In der Stadt kann man besser ausgehen als auf dem Land.
In der Stadt sind die Wohnungen teurer als auf dem Land.
Auf dem Land ist es ruhiger als in der Stadt.
Auf dem Land sind die Straßen sauberer als in der Stadt.
Auf dem Land kann man genauso gut einkaufen wie in der Stadt.
In der Stadt können die Kinder genauso gut spielen wie auf dem Land.

5a

Zi: Zimmer – OG: 1. Stock (=1. Obergeschoss) –
BLK: Balkon – NK: Nebenkosten –
EG: Erdgeschoss – MM: Monatsmiete –
EFH: Einfamilienhaus – KM: Kaltmiete –
EBK: Einbauküche – WM: Warmmiete –
ZH: Zentralheizung – m²: Quadratmeter

5b

Anzeige 1:
72 qm – 3 Zimmer – 450 € KM + 150 € NK –
keine Kaution – Balkon und Einbauküche
Anzeige 2:
120 m² – 5 Zimmer – 810 € WM – 3 MM – Terrasse und Garten

6

2. A – **3.** D – **4.** B

7

im – im – am – am – am – Um – am – Am – Am

9

1. sich freuen – **2.** sich vorstellen –
3. sich wohl fühlen

10

1. sich – **2.** mich – sich – **3.** dich – mich –
4. euch – uns

11a

mich – dich – sich – sich – sich – uns – euch – sich

11b

1. sich – **2.** sich – **3.** sich – sich – **4.** sich

12

1. sich – sich – sich – sich – sich
2. euch – sich – mich – uns

13a

mich – dich – ihn – es – sie – uns – euch – sie

13b

1. ihn – 2. sie – 3. es – 4. sie

14 *Beispiel:*

Ich heiße Giovanni Stefano und das ist meine Frau Maria. Wir kommen aus Italien und leben seit 20 Jahren in Deutschland. Wir sind vor einem Monat nach Dresden umgezogen und fühlen uns hier sehr wohl.

15a

1. der Tisch, -e – 2. die Tischdecke, -n –
3. die Lampe, -n – 4. der Stuhl, "-e –
5. der Küchenschrank, "-e 7. die Spüle, -n –
8. der Kühlschrank, "-e

15b

1. am – 2. zwischen der – dem – 3. an der –
4. auf dem – 5. neben der – 6. über dem

16a

2. das Regal, -e – 3. der Schrank, "-e – 4. der Tisch, -e – 5. das Bild, -er – 6. der Teppich, -e – 7. die Tischdecke, -n – 8. die Lampe, -n – 9. die Wand, "-e – 10. der Boden, "-

16b

1. an die – 2. neben den – 3. vor das – 4. über das – 5. auf den – 6. auf den – 7. an die

17

1. stehen – liegen – 2. stellt – legt –
3. stellt – steht – 4. legt – liegt

18a

1. stellen – Stell – stehen – 2. stehe –
3. steht – gestellt

18b

1. liegt – liegt – 2. Legen –
3. lege – legen – liegt

19

◁ Entschuldigung, können Sie mir helfen?
◁ Ich brauche Dübel und Schrauben.
◁ Ich weiß nicht, ich möchte eine Lampe aufhängen.
◁ Nein, nein, es ist eine ganz normale Lampe.
◁ Nein, danke. Das ist alles.

21a

B

21b

B – A – C

21c

1. 48,14 – 21,81 – 2. 534,48 – 150,32 –
3. 568,60 – 213,26 – 4. 0,00

22

1. Er fühlt sich einsam, schlecht und traurig.
2. Sie ist krank und fühlt sich matt und erschöpft.
3. Sie fühlen sich stark. Sie fühlen sich wunderbar und fit.

23

1. der Mietvertrag – 2. kündigen –
3. der Mieter – 4. der Vermieter

24

1. sich trennen – 2. sich kennenlernen – 3. sich verlieben – 4. sich entschuldigen – 5. sich streiten

LEKTION **7 Feste feiern**

1

2. Am dritten Oktober. – 3. Am ersten Mai. –
4. Am einundzwanzigsten Juni.

2a

2. der neunte Elfte – **3.** der zwanzigste Siebte –
4. der achtundzwanzigste Achte – **5.** der achte
Dritte – **6.** der neunzehnte Zehnte – **7.** der
dreiundzwanzigste Fünfte – **8.** der neunundzwan-
zigste Zweite

2b

1. 5. Juni – **2.** 8. Juli – **3.** 21. Mai

3

1. Vom 18. 3. bis zum 15. 4. – **2.** Vom 2. 8. bis zum
14. 8. – **3.** Vom 30. 6. bis zum 9. 8.

4

einundzwanzigste – einundzwanzigsten – achtundzwanzigste – achtundzwanzigsten – einundzwanzigsten – siebzehnten – achtzehnten

5

geradeaus – dritte – vierte – vierten

6

1. C – **2.** B

7

2. E – **3.** A – **4.** F – **5.** G – **6.** B – **7.** D

Liebe Freunde,
ich habe meinen Führerschein! Das möchte ich mit
euch feiern. Kommt am Samstag ab acht zu uns in
den Garten. Getränke und Musik habe ich. Wer
kann noch einen Salat oder einen Kuchen mitbringen? Sagt mir Bescheid. Ich freue mich!
Martin

8

◖ Hallo, Anna! Hier ist Lili.
◖ Danke, super. Ich habe meine Prüfung geschafft!
◖ Danke. Ich bin so froh! Und jetzt will ich feiern.
◖ Ja, klar. Philipp, Marius und Vanessa kommen.
  Kommst du?
◖ Wir treffen uns bei mir und gehen dann in die
  Stadt.
◖ Tschüss!

9 *Beispiel:*

1. Liebe Freunde,
  ich bin umgezogen. Das möchte ich mit euch
  feiern. Kommt am Freitag ab sieben in meine
  neue Wohnung in der Gartenstr. 7. Ich freue
  mich!
  Bis dann!

2. Liebe Eltern,
  ich möchte Sie herzlich zum Sommerfest der
  Schule einladen. Kommen Sie am Sonntag ab elf
  in die Schule. Wer kann noch einen Salat oder
  einen Kuchen mitbringen? Sagen Sie mir
  Bescheid!
  Viele Grüße

3. Liebe Freunde,
  ich habe Geburtstag und das möchte ich mit
  euch feiern. Kommt am Samstag ab acht zu mir.
  Getränke und Musik habe ich. Ich freue mich!
  Liebe Grüße

10

1. ihr – **2.** ihm – ihr – ihnen – **3.** mir – dir –
4. mir – Ihnen – mir – **5.** euch – **6.** uns

11a

2. die Praline, -n – **3.** die Kerze, -n – **4.** die
Krawatte, -n – **5.** das Geschirr, - – **6.** die CD, -s

11b

2. Man kann ihr (eine Schachtel) Pralinen schenken.
3. Man kann ihr eine Kette schenken.
4. Man kann ihm eine Krawatte schenken.
5. Man kann ihnen eine Kerze schenken.
6. Man kann ihnen Geschirr schenken.

12

1. Meinem Sohn schenke ich ein neues Handy.
2. Ich schenke meinem Großvater ein Buch zum
  Geburtstag.
3. Zum Geburtstag schenke ich meiner Schwester
  ein Parfüm.
4. In meinem Land darf man keine Messer schenken.

14

A **1.** Falsch – **2.** Richtig – **3.** Richtig – **4.** Falsch
B **1.** Falsch – **2.** Falsch – **3.** Falsch – **4.** Richtig

15

Der Mantel ist grün. Die Schuhe sind rot. Die Strümpfe sind rot. Die Ohrringe sind gelb.

16

1. Das ist eine blaue Krawatte.
2. Das ist kein schönes Geschirr. – Das ist hässliches Geschirr.
3. Das ist keine billige Kette. – Das ist eine teure Kette.
4. Das ist kein gesundes Essen. – Das ist ungesundes Essen.

17

1. eine Jacke – warme
2. Schuhe – Schwarze
3. einen Fernseher – günstigen
4. ein Sofa – rotes

18

1. warmen – warm – günstig
2. große – warme – frischen – kleinen
3. große – kleine – großes – kleines

19

2. A – **3.** D – **4.** B

21

1. Maja und Viktor haben im Sommer geheiratet.
2. Sie sind zum Standesamt gegangen.
3. Die Mutter von Maja hat geweint.
4. Sie haben ein Hochzeitsfoto gemacht.
5. Sie haben im Restaurant gefeiert.
6. Am nächsten Tag sind sie auf Hochzeitsreise gefahren.

22

1. mich – **2.** sich – sich – **3.** mich –
4. euch – uns

23

links: wünschen – alles – Glück
rechts: Herzlichen – zum – Gute

25a

1. Richtig – **2.** C

26

Puppe – Krawatte – CD – Kerze – Kaffeetassen – Parfüm – Pralinen – Buch

27

2. A – **3.** D – **4.** G – **5.** B – **6.** F – **7.** E

STATION **2**

1a

1. Wissen Sie, wo der Bahnhof ist? – Können Sie mir sagen, wie viel der Computer kostet?
2. Hallo – Besprechung – Geht – Büro – Grüße
3. *Beispiel:*
◖ Hier ist Lena Fleckenstein. Ich bin krank und komme heute nicht.
◖ Ja, um 10 Uhr. Ich schicke dann eine Krankschreibung.
◖ Vielen Dank! Auf Wiederhören.
4. Anzeige – Wohnung – vermietet – Kaution – Monatsmieten – besichtigen
5. uns vorstellen – fühlen … sich – freuen uns
6. Die Frau trägt eine rote Bluse und eine weiße Hose. Sie trägt rote Schuhe und rote Strümpfe. Sie hat eine gelbe Tasche. Sie trägt rote Ohrringe. Der Mann trägt ein grünes Hemd und eine blaue kurze Hose. Er trägt rote Schuhe und weiße Socken.
7. *Beispiel:*
Liebe Caroline,
zum Geburtstag wünschen wir dir alles Gute und viel Glück!

Prüfungsvorbereitung DTZ: Lesen

Teil 2

1. H – **2.** C – **3.** x – **4.** E – **5.** A

Teil 3

6. Falsch – **7.** C – **8.** Richtig – **9.** B

1a

1. Computerkurs
2. Kochkurs
3. Altenpflegekurs

1b

A

2. Im Computerkurs kann man neue Software kennenlernen.
3. Im Kochkurs kann man neue Spezialitäten kochen lernen.
4. Im Kochkurs kann man neue Rezepte ausprobieren.

B

5. Im Altenpflegekurs kann man lernen, wie man alte Menschen pflegt.
6. Im Altenpflegekurs kann man lernen, welche Hilfe alte Menschen brauchen.

2

1. Ich finde den Computerkurs interessant, weil man für viele Stellen Computerkenntnisse braucht.
2. Ich finde den Tanzkurs interessant, weil ich nicht tanzen kann.
3. Ich finde den Heimwerkerkurs interessant, weil ich meine Wohnung renovieren muss.
4. Ich finde den Altenpflegekurs interessant, weil man als Altenpfleger leicht eine Stelle bekommt.
5. Ich finde den LKW-Führerscheinkurs interessant, weil man als LKW-Fahrer gut verdient.

3a

1. Taxifahrer – 2. Hausfrau – 3. LKW-Fahrer – 4. in einer Firma

3b

2. F – 3. C – 4. A – 5. D – 6. E

5

2. Er sieht deutsches Fernsehen, damit er schneller Deutsch lernt.
3. Ich kaufe meinem Sohn einen Computer, damit er programmieren lernen kann.
4. Sie suchen eine Wohnung mit Garten, damit die Kinder draußen spielen können.
5. Er hört jeden Morgen Radio, damit er immer gut informiert ist.

6

1. Sie arbeitet heute nicht, damit sie für ihren Besuch kochen kann.
2. Sie ruft ihn an, damit er noch Salz mitbringt.
3. Sie macht die Musik leiser, damit die Nachbarn schlafen können.

7a

1. Er arbeitet, damit er Geld verdient. – Er arbeitet, weil er Geld braucht.
2. Sie kocht, weil sie Gäste zum Abendessen eingeladen hat. – Sie kocht, damit die Gäste ein schönes Essen bekommen.
3. Die VHS bietet Deutschkurse an, weil viele Menschen Deutschkenntnisse brauchen. – Die VHS bietet Deutschkurse an, damit viele Menschen Deutsch lernen können.

7b

1. Warum arbeitet er? – Weil er Geld braucht.
2. Warum kocht sie? – Weil sie Gäste zum Abendessen eingeladen hat.
   Wozu kocht sie? – Damit die Gäste ein schönes Essen bekommen.
3. Warum bietet die VHS Deutschkurse an? – Weil viele Menschen Deutschkenntnisse brauchen.
   Wozu bietet die VHS Deutschkurse an? – Damit viele Menschen Deutsch lernen können.

8

1. Arbeitsberater – **2.** Computerkenntnisse –
3. Weiterbildungsmaßnahme – **4.** Förderung –
5. Softwareprogramme

9

mich – dich – sich – uns – mich – mich

10a

B

10b

2. A – **3.** E – **4.** D – **5.** C

11

1. um – über – für – auf
2. auf – von – für – um

12a

2. Die Frau träumt. – **3.** Die Männer ärgern sich. –
4. Der Mann wartet.

12b

2. Die Frau träumt vom Urlaub. – **3.** Die Männer
ärgern sich über das Fußballspiel. – **4.** Der Mann
wartet auf seine Freundin.

13

1. über – auf – **2.** auf/über – auf – **3.** auf – über

14

1. zur VHS gehen – **2.** sagen, dass sie am Kochkurs teilnehmen will – **3.** ist – **4.** beginnt

16 *Beispiel:*

◀ Guten Tag, mein Name ist Rezende. Ich interessiere
   mich für den Kurs für Berufsdeutsch.
◀ Möchten Sie den Kurs am Montag oder am Don-
   nerstag machen?
◀ Am Montag. Wo kann ich mich anmelden?
◀ Sie können sich im Internet oder im Büro an-
   melden.
◀ Wie ist die Adresse vom Büro?
◀ Die Adresse ist Yorkstraße 135.
◀ Entschuldigung, können Sie das buchstabieren?

◀ Gern, Y O R K S T R A S S E 135.
◀ Vielen Dank. Auf Wiederhören.

17a

Computerkurs: Montag, 3. 5., 19:30 Uhr –
Tanzkurs: Dienstag, 11. 5., 17:30 Uhr –
Deutschkurs: Donnerstag, 13. 5., 9 Uhr

17b

1. Falsch – **2.** A

20

1. Klavier spielen – **2.** Singen – **3.** Reiten –
4. Ski fahren – **5.** Malen – **6.** Kochen

21a

Ulf Stein: Apfelbäume – einen Garten und Werk-
zeuge (z. B. eine Baumschere) – seine Pflege
Mario Ellers: Trommeln – eine Mülltonne, einen
Karton oder eine Dose – der Klang muss interessant
sein
Chris Anan: Kartenspielen – mindestens drei
Personen, Karten und etwas zu trinken – Spaß
haben

22a

teilnemen an – sich bewerben um – sich interessieren für – informieren über – sich anmelden für

22b *Beispiel:*

Ich nehme an einem Deutschkurs teil.
Ich bewerbe mich um eine Stelle als Sekretärin.
Ich interessiere mich für Sport.
Ich informiere mich über Politik.
Ich melde mich für einen Tanzkurs an.

23

1. unsicher – **2.** der Fortgeschrittene – **3.** Geld
ausgeben – **4.** Das stimmt. – **5.** sich ärgern –
6. verschlafen

LEKTION **9** **Gesund leben**

1

Ernährung: fettarm – abnehmen – das Getränk – das Frühstück – sich ernähren – zunehmen
Freizeit: sich entspannen – sich bewegen – joggen – lesen – fernsehen – ins Kino gehen
Beruf: Termine haben – Kollegen treffen – mit Kunden telefonieren

2a

1. A – 2. C – 3. B – 4. D

2b *Beispiel:*

1. Wenn ich mich entspannen möchte, gehe ich spazieren.
2. Viele Menschen ernähren sich nicht gesund.
3. Ich muss mich mehr bewegen, ich habe wieder zwei Kilo zugenommen.
4. Wenn ich abnehmen möchte, mache ich eine Diät.

3

Milchprodukte: der Joghurt – die Butter – *Obst:* die Banane – der Apfel – *Gemüse:* die Paprika – der Salat – die Zwiebel – *Fleisch:* das Hühnchen – *Getreideprodukte:* das Brötchen – die Nudeln – das Brot – *Getränke:* der Orangensaft – der Kaffee – das Mineralwasser

4b

alle – viele – wenige – niemand

5

Alle – Viele – wenige – Niemand

7a

C

7b

1. Richtig – 2. Falsch – 3. Richtig – 4. Richtig

8

1. Versichertenkarte – 2. Krankschreibung – 3. Krankenkasse – 4. Quartal – 5. Praxisgebühr

9

2. verschreiben – 3. impfen – 4. geben – 5. kommen – 6. schreiben – abnehmen

10a

2. A – 3. B – 4. C
2. Wenn ich eine neue Brille brauche, gehe ich zum Augenarzt. – 3. Wenn ich Rückenschmerzen habe, gehe ich zum Hausarzt. – 4. Wenn mein Kind Fieber und Halsschmerzen hat, gehen wir zum Kinderarzt.

10b

2. Beim Augenarzt lasse ich mir eine neue Brille verschreiben. – 3. Beim Hausarzt lasse ich mir eine Spritze gegen Rückenschmerzen geben. – 4. Beim Kinderarzt lasse ich mein Kind untersuchen.

11

1. lässt/lassen – 2. lasse – 3. lassen – 4. Lässt – 5. lässt/lassen – 6. Lasst

12

2. Pascal räumt sein Zimmer nicht selbst auf. Er lässt seine Mutter das Zimmer aufräumen.
3. Pascal macht nicht selbst Abendessen. Er lässt seine Mutter Abendessen machen.
4. Pascal putzt seine Schuhe nicht selbst. Er lässt seine Mutter seine Schuhe putzen.
5. Pascal bügelt seine Hosen nicht selbst. Er lässt seine Mutter seine Hosen bügeln.

13

◀ Ich habe hier ein Rezept.
◀ Muss ich etwas zuzahlen?
◀ Wie oft muss ich die Tabletten nehmen?
◀ Und wie lange?
◀ Hat das Medikament Nebenwirkungen?

15

2. A – 3. B – 4. C

16a

2 – 4 – 1 – 3

16b

1. Wenn Frau Wagner Stress hat, macht sie eine Fahrradtour.
2. Wenn Herr Kunz sich entspannen möchte, arbeitet er im Garten.
3. Wenn Herr Lopez gut schlafen will, geht er mit dem Hund spazieren.
4. Wenn Frau Krejci ein Problem hat, spricht sie mit ihrer Freundin.

17a

2. Wenn Sie wieder zugenommen haben, können Sie mehr Sport machen.
3. Wenn Sie nicht schlafen können, können Sie einen Tee trinken.
4. Wenn Ihr Kühlschrank wieder leer ist, können Sie einkaufen gehen.

17b

2. Machen Sie doch mehr Sport.
3. Trinken Sie doch einen Tee.
4. Gehen Sie doch einkaufen.

18

1. Frau Nett fährt gern an einen See und geht schwimmen.
2. Sie geht gern in die Sauna oder hört zu Hause Musik.
3. Bei schlechtem Wetter geht Herr Nett ins Schwimmbad.
4. Herr Nett probiert mit seinen Freunden gern neue Kochrezepte aus.

22

1. B – 2. E – 3. D – 4. C – 6. F

23a

2. nehmen – 3. impfen – 4. geben –
5. untersuchen – 6. abnehmen

23b *Beispiel:*

2. Ich habe Halstabletten genommen.
3. Der Arzt hat mich gegen Grippe geimpft.
4. Der Arzt hat mir eine Spritze gegeben.

5. Der Arzt hat meine Augen untersucht.
6. Der Arzt / Die Arzthelferin hat mir Blut abgenommen.

 LEKTION 10 **Arbeitssuche**

1

Zeitarbeitsfirmen – Stellenanzeigen – Praktikum – Bewerbungsmappe – Vorstellungsgespräch – Arbeitsstelle – Arbeitsvertrag

3a

1. C – 2. B – 3. A

3b

1. B – 2. A – 3. C

3c

1. Richtig – 2. Falsch – 3. Richtig –
4. Falsch – 5. Falsch – 6. Richtig

4

links: würdet ihr – wir würden – ich würde
rechts: sie würden – du würdest – Jakob würde

5

2. Würdest du auch gern Fußball spielen?
3. Er würde gern Basketball spielen.
4. Wir würden gern Karten spielen.
5. Würdet ihr auch gern Karten spielen?
6. Sie würden gern einen Ausflug machen.

6

2. Er würde gern eine Freundin finden.
3. Er würde gern mehr mit seinen Eltern sprechen.
4. Er würde gern Medizin in Heidelberg studieren.
5. Er würde gern die Führerscheinprüfung bestehen.

7

1. Sie würde gern mehr verdienen.
2. Sie würde gern weniger arbeiten.
3. Sie würde gern am Nachmittag eine Pause machen.
4. Sie würde gern an der Fortbildung teilnehmen.

9

2. Wissen Sie, wie lange die Ausbildung dauert?
3. Können Sie mir sagen, wie viel man verdienen kann?
4. Darf ich fragen, warum Sie diesen Beruf gewählt haben?

10

2. Sie kann nicht sagen, ob er immer Zeit für sie hat.
3. Er ist nicht sicher, ob er immer noch Zeit für seine Hobbys hat.
4. Er weiß nicht, ob sie gleich ein Kind haben sollen.

11

Julia:
1. Ich weiß nicht, was ich am ersten Tag machen muss.
2. Ich weiß nicht, was ich anziehen soll.
3. Ich weiß nicht, ob die Arbeit schwer ist.
4. Ich weiß nicht, ob die Kollegen nett sind.

Peter:
1. Ich bin mir nicht sicher, was ich nach der Schule machen soll.
2. Ich bin mir nicht sicher, ob ich Mechatroniker werden soll.
3. Ich weiß nicht, wie ich einen Ausbildungsplatz finden kann.
4. Ich weiß nicht, ob meine Noten gut genug sind.

12

1. dass – ob – 2. ob – dass – 3. dass – ob

13

◁ Guten Tag, Jetan Haralan. Sie suchen einen Fahrer. Ist die Stelle noch frei?
◁ Können Sie mir sagen, wie die Arbeitszeiten sind?
◁ Bekommt man einen festen Stundenlohn?

15a

gemacht – gelernt – gearbeitet – gekommen – besucht – beendet

15b

Sergej Pilakew – 11.3.1984 in Omsk – Technikum für Mechatroniker – Praktikant in Autowerkstatt Schmidt – Mechatroniker in Toyota-Servicecenter – Mechatroniker in Mercedes-Servicecenter – Muttersprache – Integrationskurs

16

1. Er sollte zum Augenarzt gehen. – 2. Er sollte ins Fitnessstudio gehen. – 3. Sie sollte Urlaub machen. – 4. Sie sollte ein neues Auto kaufen.

17a

C

17b

1. Richtig – 2. Falsch – 3. Richtig

18

1. A – 2. C – 3. A – 4. B

19a

1. Schichtarbeit – 2. Stress – 3. Team – 4. Stelle – 5. Überstunden

21a

1. Informationen sammeln – 2. Fragen und Antworten vorbereiten – 3. Korrekte Kleidung – 4. Letzte Vorbereitungen – 5. Beim Vorstellungsgespräch

21b *Beispiel:*

Die Kleidung sollte korrekt sein und zur Stelle passen. – Man sollte fünf Minuten vor dem Termin kommen und das Einladungsschreiben mitbringen. – Man sollte seinen Gesprächspartner bei der Begrüßung freundlich ansehen und ihn ausreden lassen.

22

2. B – 3. E – 4. A – 5. C

Beispiel:
2. Wenn du mehr lernen möchtest, musst du ein Praktikum machen.
3. Wenn du eine Stelle bekommst, musst du einen Arbeitsvertrag unterschreiben.

4. Wenn sich eine Firma für deine Bewerbung interessiert, lädt sie dich zum Vorstellungsgespräch ein.
5. Wenn du eine Stelle suchst, kannst du dich bei Zeitarbeitsfirmen bewerben.

23a

1. das Bewerbungsfoto – das Bewerbungsschreiben – **2.** die Arbeitszeit – der Arbeitstag – die Arbeitssuche – **3.** die Berufsausbildung – die Berufsschule – die Berufserfahrung

23b

1. Arbeitstag – Arbeitszeit – **2.** Bewerbungsmappe – Bewerbungsschreiben – Bewerbungsfoto – **3.** Berufsschule – Berufsausbildung

LEKTION **Von Ort zu Ort**

1

1. besuchen – checken ... ein
2. packt – machen – fahren ... ab – stehen

2

1. aus – in – **2.** in – nach – nach – in

3a

A – C

3b

1. Vier Tage. – **2.** Seine Eltern. – **3.** Gemütlich. – **4.** Seit zwölf Jahren. – **5.** Seine Verwandten. – **6.** Sie war anstrengend, aber auch schön.

4

haben ... gewohnt – hat ... gefallen – haben ... besichtigt – gemacht – sind ... gefahren – haben ... gegessen – sind ... gegangen

6

1. das – **2.** der – **3.** die – **4.** die – **5.** das

7

2. D – **3.** C – **4.** A

8

2. Sie suchen einen Park, der einen großen Spielplatz hat.
3. Frank sucht ein nettes Café, das in der Nähe ist.
4. In der Stadt gibt es viele Geschäfte, die ihnen gefallen.

9

2. Ja, ich schenke ihm ein Buch, das sehr spannend ist.
3. Er macht eine Party, die morgen Abend stattfindet. Und heute feiert er mit seinen Eltern, die bei ihm zu Besuch sind.

10

1. Kennst du eine Stadt, die in Österreich liegt?
2. Kennst du die Stadt, die an der Grenze zu Polen liegt?
3. Wie heißt der Fluss, der durch Köln fließt?
4. Wie heißt der See, der südlich von München liegt?

11

◁ Guten Tag, ich möchte einen Flug nach Madrid buchen.
◁ Wann wollen Sie fliegen?
◁ Ich möchte am 11. 11. in Frankfurt abfliegen und am 17. 11. zurückkommen.
◁ In dieser Zeit gibt es viele günstige Angebote. Hier ist zum Beispiel ein Flug für 174 Euro.
◁ Das ist gut. Den Flug können Sie für mich buchen.
◁ Sehr gern. Sagen Sie mir bitte Ihren Namen.

12 *Beispiel:*

◁ Guten Tag, ich möchte einen Flug von Basel nach Berlin buchen.
◁ Wann wollen Sie fliegen?
◁ Ich möchte am 17. 2. in Basel abfliegen und am 28. 2. zurückkommen.
◁ Es gibt in dieser Zeit ein Angebot für 190 Euro, Hin- und Rückflug.
◁ Das ist gut. Den Flug können Sie für mich buchen.

13

2. Das Ticket soll nicht so viel kosten.
3. Der Abflugort soll Hamburg sein.
4. Die Reise soll nicht so lange dauern.

14

2. Wo ist der Schlüssel, den ich auf den Tisch gelegt habe?
3. Wo ist das Paket, das ich gestern bekommen habe?
4. Wo sind die Blumen, die ich meiner Freundin schenken will?
5. Wo ist das Buch, das ich abends im Bett lese?
6. Wo ist der Brief, den ich morgen zur Post bringen muss?

15

2. den – 3. das – 4. die

16

1. Herr Matthei sucht eine Reisetasche, die viele Fächer hat.
2. Frau Ivanova sucht einen Pullover, der warm ist.
3. Frau Marini gefällt ein Kleid, das ihr Mann hässlich findet.
4. Herr Gonzalez sucht Geschenke, die er in seine Heimat mitnehmen kann.
5. Herr Bloch kauft einen Ring, den er seiner Frau schenken will.

17

1. Notrufsäule – Notrufzentrale – Pannendienst
2. Platzreservierung – Wagennummer

18

◖ Darf ich Sie kurz stören? Ich glaube, Sie sitzen auf meinem Platz.
◖ Nein, ich habe diesen Platz reserviert. Hier steht es: Platz 31 in Wagen 12.
◖ Oh, entschuldigen Sie bitte!

20

2 – 7 – 1 – 4 – 6 – 3 – 5

21

einen Vorschlag machen: Ich schlage vor, ... – Wir sollten ...
zustimmen: Das finde ich gut. – Das ist eine gute Idee! – Ja, so machen wir es.
ablehnen: Das gefällt mir nicht. – Ich möchte aber lieber ... – Es ist besser, wenn wir ...

22

1. A – 2. B – 3. C – 4. A

24a

1. Fahrplan & Buchung – 2. Angebotsberatung – 3. Jetzt Online-Ticket buchen – 4. Reisetipps und Städteinfos – 5. Fahrkartenshop mit regionalen Angeboten

24b

1. Fünf Personen. – 2. Einen Tag. – 3. Alle Nahverkehrszüge, z. B. S-Bahn, RB, IRE, RE.

25

2. A – 3. D – 4. E – 5. B

26

1. das Flugticket – 2. das Museum – 3. die Fahrkarte – 4. der Bahnhof

27a

1. die Landkarte – 2. die Regensachen – 4. der Schlafsack – 5. das Zelt – 6. der Rucksack

27b

Rucksack – Landkarte – Regensachen – Zelt – Schlafsack

1a

1. *Beispiel:*
   1. Ich mache Sport, damit ich abnehme.
   2. Ich mache den Deutschkurs, damit ich besser Deutsch spreche.
   3. Ich höre jeden Morgen Radio, damit ich immer informiert bin.
2. Meier *(Beispiel)* – interessiere – ist – beginnen – kostet –
   anmelden – Anmeldung
3. ◖ Du solltest einen Tee trinken.
   ◖ Du solltest Stellenanzeigen in der Zeitung lesen.
4. ◖ Welche Nebenwirkungen haben sie?
   ◖ Wie lange muss ich die Tabletten nehmen?
5. ◖ Guten Tag, ich habe Ihre Stellenanzeige gelesen. Ist die Stelle noch frei?
   ◖ Wie sind die Arbeitszeiten?
   ◖ Bekomme ich einen festen Stundenlohn?
7. *Beispiel:*

   ☹ Ich würde lieber nach Berlin fahren.

   ☺ Ja, so machen wir es.

   ☹ Es ist besser, wenn wir mit dem Fahrrad fahren.

Prüfungsvorbereitung DTZ: Lesen

Teil 5

1. A – 2. A – 3. C – 4. B – 5. B – 6. C

1a

1. ernst – 2. traurig – 3. fröhlich – 4. neugierig

1b

1. feiere – 2. unterhalten uns – 3. lachen –
4. lächelt – 5. umarmen sich

2

2. gemeinsam – 3. unsympathisch – 4. fremd –
5. gut – 6. ungemütlich – 7. leise – 8. traurig

3

Wiktor: 1. Richtig – 2. Falsch – 3. Richtig
Mauricio: 1. Richtig – 2. Falsch – 3. Falsch

4

Das Nachbarschaftshaus: 2. A – 3. D – 4. B
Beispiel:
Die Personen im Nachbarschaftshaus helfen bei Problemen mit Formularen und Bewerbungen. Sie bieten auch Kurse an und laden zu Festen ein.
Die Besucher: 2. D – 3. A – 4. C – 5. B
Beispiel:
Die Besucher können im Nachbarschaftshaus Leute kennenlernen. Wenn sie Probleme haben, können sie sich beraten lassen. Die Besucher können Kurse machen oder sich sozial engagieren.

5

1. lässt – 2. bekommt – 3. bietet … an –
4. besucht – 5. will – 6. sind – wollen

6

1. Hausaufgabenhilfe – 2. Jugendliche –
3. Elterncafé – 4. Erwachsene – 5. Kinder –
6. beraten – 7. Behinderung

7a

1 – 4

7b

1. Falsch – 2. Richtig – 3. Richtig – 4. Falsch –
5. Richtig – 6. Falsch

8a

1. zehn – **2.** einhundert – **3.** eintausend –
4. zehntausend – **5.** hunderttausend – **6.** eine
Million – **7.** zehn Millionen – **8.** hundert Millionen – **9.** eine Milliarde

8b

1. 82 000 000 – **2.** 6 800 000 – 1 000 000 –
3. 3 400 000 – 260 000 – 500 000

9

1. die – **2.** die – **3.** der – **4.** das

10

1. mit dem – **2.** zu dem – **3.** in dem – **4.** ohne
die

11a

2. A – **3.** D – **4.** C

11b *Beispiel:*

2. Das ist meine Freundin. Ich fahre mit der
Freundin in den Urlaub.
3. Das ist der Bus. Ich fahre mit dem Bus zur
Arbeit.
4. Das ist der Markt. Wir kaufen auf dem Markt
jeden Samstag ein.

12

2. Ich arbeite mit den Kollegen. Die Kollegen sind
sehr nett.
3. Die Kantine hat eine Terasse. Ich esse in der
Kantine zu Mittag.
4. Die Besprechung findet am Freitag statt. Zu der
Besprechung kommen auch Kollegen aus
Hamburg.

13

Heide Jordan: **1.** ... weil ihre Freundin Tischtennis
spielen wollte. – **2.** ... weil sie nicht mehr so viel
Zeit hat. – **3.** ... weil sie dort viele Freunde hat.
Nadja Struk: **1.** ... weil sie Theater sehr gern mag
und es dort eine gute Gruppe gibt. – **2.** ... weil sie
Klavier spielt. – **3.** ... weil sie fit bleiben muss.

14a

-verein: der Musikverein – der Karnevalsverein –
der Fußballverein
Vereins-: das Vereinsmitglied – der Vereinsbeitrag –
das Vereinsfest – das Vereinshaus

14b

2. Ein Theaterverein ist ein Verein, in dem man
Theater spielt. – **3.** Ein Vereinshaus ist ein Haus,
das dem Verein gehört. – **4.** Ein Vereinsfest ist ein
Fest, das der Verein organisiert.

16

1. verwählt – **2.** verbinden – besetzt – Durchwahl – **3.** zuständig

17

2. D – **3.** A – **4.** B

20a

Elias Verne – 23. 5. 1979 – Hauptstr. 14 – 01561,
Tauscha – Trompete – Volksbank – 501 340 40 –
4300539857

20b

1. 2 Euro. – **2.** Ein aktives Mitglied. –
3. Am Jahresende (dieses Jahr).

21 *Beispiel:*

telefonieren: die Telefonzentrale – verbinden –
falsch verbunden – sich verwählen
Vereine: der Freundschaftsverein – das Mitglied –
Mitglied sein/werden – der Sportverein – der
Mitgliedsbeitrag

22

2. C – **3.** A – **4.** B – **5.** E

23

1. Mitgliedsbeitrag – **2.** Sachbearbeiter – Sachbearbeiterin – **3.** Hausaufgabenhilfe – **4.** Telefonzentrale

LEKTION **13** **Banken und Versicherungen**

1a
1. die Versichertenkarte – **2.** die EC-/Kreditkarte – **3.** die Monatskarte

1b
1. B – **2.** A – **3.** D – **4.** C – **5.** E – **6.** F

2
2. Ich habe eine Telefonkarte, weil ich ohne Bargeld telefonieren will.
3. Ich habe eine Monatskarte, weil ich günstiger mit Bus und Bahn fahren möchte.
4. Ich habe eine Visitenkarte, weil ich sie im Beruf brauche.

3
1. Einkommen – **2.** Guthaben – **3.** Zinsen – **4.** Geldautomat – **5.** Kontoauszug – **6.** PIN – **7.** Überweisung

4
◄ Guten Tag, ich möchte ein Girokonto eröffnen.
◄ Hier, bitte. Wie hoch sind die Gebühren monatlich?
◄ Haben Sie auch Girokonten, die kostenlos sind?
◄ Das gefällt mir. Wann bekomme ich die EC-Karte und die PIN?

5a
2. E – **3.** A – **4.** C – **5.** D

5b *Beispiel:*
Danach gibt man die PIN ein und bestätigt sie. Dann wählt man den Betrag aus. Am Ende entnimmt man die Karte und das Geld.

6a
1. Richtig – **2.** Falsch – **3.** Falsch

6b
Konto-Nr.: 3028204 – Bankleitzahl: 100 900 00 – Kreditinstitut: Volksbank – Betrag: 179

7
2. A – **3.** C

8
überwiesen – eingezahlt – abgehoben – vergessen

9
1. B – **2.** C – **3.** A

10
◄ Berger, guten Tag. Ich möchte einen Schaden melden.
◄ 0749876.
◄ Bei einem Besuch ist mir eine teure Vase aus der Hand gefallen. Die Vase ist jetzt kaputt.
◄ Vielen Dank und auf Wiederhören.

11a *Beispiel:*
2. Ein Kind fährt Rad und macht das Auto vom Nachbarn kaputt. – **3.** Ein Kind isst ein Eis und das Eis fällt auf das neue Sofa. – **4.** Ein Kind trinkt Tomatensaft und macht den Teppich schmutzig.

11b
2. der Fußball: der Fuß, der Ball – **3.** das Terrassenfenster: die Terrasse, das Fenster – **4.** das Sportrad: der Sport, das Rad – **5.** der Familienwagen: die Familie, der Wagen – **6.** das Schokoladeneis: die Schokolade, das Eis – **7.** der Tomatensaft: die Tomate, der Saft – **8.** das Kinderspiel: das Kind, das Spiel

12a
2. die Post + die Karte: die Postkarte – **3.** die Blume + die Vase: die Blumenvase – **4.** die Tasche + das Geld: das Taschengeld – **5.** das Gemüse + die Suppe: die Gemüsesuppe – **6.** der Fuß + der Ball: der Fußball

12b
2. Eine Postkarte ist eine Karte, die man seinen Freunden aus dem Urlaub schickt.
3. Eine Blumenvase ist eine Vase, in die man Blumen tun kann.
4. Taschengeld ist Geld, das Kinder von ihren Eltern bekommen.

5. Eine Gemüsesuppe ist eine Suppe, die man aus Gemüse gekocht hat.
6. Ein Fußball ist ein Ball, mit dem man Fußball spielen kann.

13
1. 159 Euro – **2.** 69,99 Euro

14 *Beispiel:*
◖ Guten Tag, ich interessiere mich für eine Digitalkamera.
◖ Das ist mir zu teuer.
◖ Wie lange hat diese Kamera Garantie?
◖ Das ist gut. Ich nehme die Digitalkamera.

16a
1. Richtig – **2.** Falsch – **3.** Falsch

16b
haben + Partizip: kopiert (kopieren) – gemacht (machen) – behandelt (behandeln)
sein + Partizip: kaputt gegangen (kaputt gehen) – geblieben (bleiben)

16c *Beispiel:*
Sehr geehrte Damen und Herren,
ich habe mir vor vier Monaten eine Waschmaschine gekauft. Letzte Woche ist sie leider kaputt gegangen. Für die Reparatur habe ich den Garantieschein und die Quittung kopiert.
Wie lange dauert die Reparatur?
Mit freundlichen Grüßen
Alfred Graf

18a
B – C – A

18b
Fernseher: Vorteile: einfache und praktische Bedienung – *Nachteile:* keine gute Tonqualität
Waschmaschine: Vorteile: sie sieht einfach aus, leichte Bedienung, Intensiv-Programm, Knitterschutz-Programm, sie ist nicht laut – *Nachteile:* sie ist schwer, man darf die Maschine nicht zu voll machen

Kaffeemaschine: Vorteile: sie sieht gut aus, der Kaffee ist heiß und schmeckt gut – *Nachteile:* die Milch hat nicht genug Schaum

19
1. die Geheimzahl bestätigen, eingeben – **2.** das Girokonto eröffnen – **3.** den Betrag abheben, eingeben, einzahlen – **4.** den Kontoauszug ausdrucken – **4.** das Bargeld abheben, einzahlen, entnehmen – **5.** die EC-Karte entnehmen

20a
1. Das Zimmer war ungemütlich. – **2.** Die Kamera ist Frau Uhl auf den Boden gefallen. – **3.** Ein Dieb hat ihre Handtasche gestohlen.

20b
1. D – **3.** B – **4.** C

20c
1. Sie muss das Zimmer bei der Rezeption reklamieren.
2. Sie muss den Schaden der Versicherung melden.
3. Sie muss den Schaden der Polizei melden.
4. Sie muss die Kamera ans Werk schicken.

LEKTION **14 Freunde und Bekannte**

1
1. Freizeit – **2.** rede – **3.** unternehme – **4.** nett – **5.** denken – **6.** Spaß – **7.** helfen – **8.** Freundin – **9.** teilen – *Lösungswort:* Freundschaft

2a
1. – 2.

2b
1. Richtig – **2.** Falsch – **3.** Falsch – **4.** Richtig

3
1. für – **2.** über – **3.** auf – **4.** über – **5.** mit – **6.** auf – **7.** an – **8.** von

4a
2. über – **3.** auf – **4.** mit – **5.** über – **6.** von – **7.** an – **8.** auf

4b *Beispiel:*

2. Ich spreche oft über meine Probleme.
3. Ich verlasse mich auf meinen besten Freund.
4. Ich telefoniere oft mit meiner Mutter.
5. Ich ärgere mich immer über meinen Bruder.
6. Ich träume oft von der großen Liebe.
7. Ich denke immer an meine Freundin.
8. Ich freue mich über Geschenke.

5

2. Worauf wartest du / warten Sie?
3. Wofür interessiert sie sich?
4. An wen denkt sie die ganze Zeit?
5. Über wen ärgert er sich?
6. Auf wen kannst du dich / können Sie sich nicht verlassen?

6

2. Wovon träumt ihr?
3. Worüber streitet ihr euch?
4. Wofür interessiert sich deine Freundin Katja?
5. Worüber lacht ihr?
6. Mit wem kannst du über alles sprechen?

7

2. E – 3. B – 4. G – 5. A – 6. H – 7. C – 8. F

9a

1. Richtig – 2. B

9b

2. Er lebt in Berlin. – 3. Wir haben über die Schulpolitik diskutiert. – 4. Er hat die Kfz-Meisterprüfung gemacht. – 5. Er ist jetzt selbstständig. – 6. Er hat viele Pläne für die Zukunft. – 7. Wir können uns treffen.

10 *Beispiel:*

2. Wir sehen uns monatlich. – 3. Du kommst schon wieder zu spät! – 4. Der Backofen ist kaputt. – 5. Heute kosten die Museen nichts.

11

1. A – 2. B – 3. B

12

1. Darüber – daran – Darauf – 2. Darüber – 3. Darüber – 4. darüber – darüber

13

1. Darauf – 2. Dafür – 3. Daran – 4. Darüber – dafür – 5. Davon

14

2. Davon träume ich schon lange. – 3. Über ihn ärgere ich mich oft. – 4. Mit ihr unternehme ich oft etwas. – 5. Darüber sprechen wir viel. – 6. Auf ihn warte ich immer.

15a *Beispiel:*

links: Freunde habe ich, immer um mich, zusammen unternehmen wir viel, perfekt!
rechts: Freunde mit siebzig, sehr viel erlebt, immer noch für dich da!

17

Denn sie endet niemals!

19a

4. – 1. – 2. – 3.

19b

1. Falsch – 2. Richtig – 3. Falsch – 4. Falsch

20

2. der Unterschied, -e – 3. das Gefühl, -e – 4. die Freude – 5. der Gedanke, -en

21

2. weinen – 3. vertrauen – 4. sich teilen – 5. unternehmen

22

1. die Tanzschule – 2. der Gedanke – 3. die Jugend – 4. die Wärme

STATION 4

1a

1. Mitglied – ehrenamtlich – hilft – Mitgliedsbeitrag
2. 1. Ein Radio ist ein Gerät, mit dem man Musik hören kann.
   2. Ein Spielplatz ist ein Platz, auf dem Kinder spielen.
   3. Das Gymnasium ist eine Schule, auf der man Abitur machen kann.
3. 1. sprechen – verbinden – Durchwahl
   2. verbunden – verwählt
4. *Beispiel:*
   1. Ich benutze die EC-Karte, wenn ich Geld abheben möchte.
   2. Ich benutze die Monatskarte, wenn ich S-Bahn fahre.
   3. Ich benutze die Versichertenkarte, wenn ich zum Arzt gehe.
5. 1. eröffnen – kostet – kostenlos
   2. wechseln
6. *Beispiel:*
   1. Ich finde eine Haftpflichtversicherung wichtig, weil wir Kinder haben.
   2. Ich denke, eine Hausratversicherung ist wichtig, weil oft etwas zu Hause kaputt geht.
7. gekauft – funktioniert – Quittung – bekomme
8. *Beispiel:*
   1. Ich spreche mit Freunden über meine Probleme.
   2. Ich gehe mit Freunden gern ins Kino.

Prüfungsvorbereitung DTZ: Sprechen

Teil 1 *Beispiel:*
Wie ist Ihr Name? – Mein Name ist Silvia.
Wo sind Sie geboren? – Ich bin in Wien geboren.
Wo wohnen Sie? – Ich wohne in Berlin.
Was machen Sie beruflich? / Was ist Ihr Beruf? – Ich bin Sekretärin.
Sind Sie verheiratet? – Nein, ich bin nicht verheiratet / ich bin ledig.
Haben Sie Kinder? – Ja, ich habe einen Sohn.
Welche Sprachen sprechen Sie? – Ich spreche deutsch, französisch und englisch.

Teil 2
1. *Beispiel:*
Foto 1: Familie, Freunde, Fest, Sommer, Wochenende, schönes Wetter, Tisch, grillen ...
2. *Beispiel:*
Auf dem Foto sehe ich eine Familie. Das Wetter ist schön. Es ist vielleicht Wochenende. Ein Mann grillt und ein Mädchen bringt das Essen. Eine Frau sitzt am Tisch und wartet. Zwei Frauen unterhalten sich. Ein Junge spielt.

Teil 3 *Beispiel:*
etwas vorschlagen: Ich schlage vor, dass du die Einladungen schreibst.
zustimmen: Das ist eine gute Idee, wir können grillen. – Ja, so machen wir es und wir können auch Musik spielen.
ablehnen: Das finde ich nicht so gut. Ich finde es besser, wenn das Fest am Samstagabend stattfindet. – Ich denke, dass das nicht so gut ist. Es ist besser, wenn du die Einladungen schreibst.

Antwortbogen

Hören

Teil 1

1 ○ ○ ○ 1
   a b c

2 ○ ○ ○ 2
   a b c

3 ○ ○ ○ 3
   a b c

4 ○ ○ ○ 4
   a b c

Teil 2

5 ○ ○ ○ 5
   a b c

6 ○ ○ ○ 6
   a b c

7 ○ ○ ○ 7
   a b c

8 ○ ○ ○ 8
   a b c

9 ○ ○ ○ 9
   a b c

Teil 3

10 ○   ○ 10
    Richtig Falsch

11 ○ ○ ○ 11
    a b c

12 ○   ○ 12
    Richtig Falsch

13 ○ ○ ○ 13
    a b c

14 ○   ○ 14
    Richtig Falsch

15 ○ ○ ○ 15
    a b c

16 ○   ○ 16
    Richtig Falsch

17 ○ ○ ○ 17
    a b c

Lesen

Teil 2

1 ○ ○ ○ ○ ○ ○ ○ ○ ○ 1
   a b c d e f g h x

2 ○ ○ ○ ○ ○ ○ ○ ○ ○ 2
   a b c d e f g h x

3 ○ ○ ○ ○ ○ ○ ○ ○ ○ 3
   a b c d e f g h x

4 ○ ○ ○ ○ ○ ○ ○ ○ ○ 4
   a b c d e f g h x

5 ○ ○ ○ ○ ○ ○ ○ ○ ○ 5
   a b c d e f g h x

Teil 3

6 ○   ○ 6
   Richtig Falsch

7 ○ ○ ○ 7
   a b c

8 ○   ○ 8
   Richtig Falsch

9 ○ ○ ○ 9
   a b c

Teil 5

1 ● ○ ○ 1
   a b c

2 ● ○ ○ 2
   a b c

3 ○ ○ ● 3
   a b c

4 ○ ● ○ 4
   a b c

5 ○ ● ○ 5
   a b c

6 ○ ○ ● 6
   a b c

Schreiben